Jean-Marie Charon

La presse magazine

NOUVELLE ÉDITION

La Découverte
9 *bis*, rue Abel-Hovelacque
75013 Paris

Si vous désirez être tenu régulièrement informé des parutions de la collection « Repères », il vous suffit de vous abonner gratuitement à notre lettre d'information mensuelle par courriel, à partir de notre site **http://www.collectionreperes.com**, où vous retrouverez l'ensemble de notre catalogue.

ISBN : 978-2-7071-5607-5

Introduction

Le magazine est réputé superficiel et déconnecté du monde réel, c'est pourtant lui qui ramène le reportage, le texte long, la lenteur, la diversité dans le traitement de l'image avec *XXI* et *Polka*. L'actualité plus chaude est l'affaire des news, dont la diffusion se porte plutôt bien, sans pâtir des quelques extravagances de leurs sites d'information. Au même moment, les féminins, déjà si nombreux voyaient fleurir *Femmes* et *Grazia*. Plutôt « haut de gamme », tranchant nettement avec les images insolentes des derniers people de *Oops !* à *Public*, en passant par *Closer*, même assagi. Ce qui semble laisser de marbre *Elle* et *Marie-Claire* dans leur conquête de la planète avec respectivement quarante et une et trente et une éditions.

Du côté des éditeurs, Hachette Filipacchi fusionne avec Europe pour donner naissance à Lagardère Active Media, placé sous la houlette d'un ancien dirigeant d'Orange. Mondadori, filiale édition du groupe de Silvio Berlusconi, prend la place du britannique Emap. Roularta, leader de l'édition flamande, devient le lointain successeur de JJSS comme nouveau propriétaire de *L'Express*. Ce qui n'empêche pas la modeste coopérative d'Alternatives économiques de poursuivre l'aventure d'*Alter éco*, dans le monde sélect des magazines économiques. C'est dire si la réalité du magazine est diverse et vivante.

Mais qu'est-ce qu'un magazine ?

Pour certains, il s'agit d'une publication dont la périodicité est autre que quotidienne. En tout état de cause il s'agit d'autre chose que d'un simple mode de présentation sur papier glacé ; en ce sens les magazines se distinguent de la presse technique et professionnelle par le fait qu'ils s'adressent au grand public, à chacun d'entre nous. Le genre reste très vaste et très diversifié, et il n'existe pas de définitions usuelles. Il semble pourtant possible de cerner les magazines au travers de six grandes caractéristiques.

L'importance du visuel

Dès leur apparition dans l'entre-deux-guerres, les magazines se distinguent des quotidiens comme des autres périodiques par la place très importante qu'y occupent l'image, le visuel (photos, graphiques, illustrations, etc.). Leur naissance est en partie le fruit d'une maîtrise nouvelle du traitement de la photographie, de la couleur, de l'impression et de la qualité du papier.

Le magazine moderne est la combinaison intime de deux récits qui s'épaulent mutuellement, celui du visuel et celui du texte. Ceux-ci concourent à créer une « ambiance » propre à chaque titre. Le visuel est tout autant mis au service du contenu rédactionnel que de la valorisation des messages publicitaires. Par sa maîtrise de l'image sous toutes ses formes, son écriture de récit, son organisation générale (le « chemin de fer »), sa maquette, le magazine se trouve en phase avec le récit télévisuel, désormais le plus familier pour le public. Son support matériel (papier, format, maquette, impression) est mis au service de cette combinaison pour en faire un bel objet qui doit séduire son acheteur.

Périodicité et déconnexion de l'actualité

Le rythme du magazine, hebdomadaire, mensuel, bimestriel... est plus lent que celui des autres médias. Il permet de prendre du recul. Il oblige surtout la très grande majorité des titres à « décrocher » de l'actualité. Concevoir, planifier et réaliser un contenu sans ce guide qu'est le fil des événements oblige, d'un côté, à s'en remettre à la créativité, à la capacité d'anticipation, à la sensibilité aux tendances, à l'« air du temps », et, de l'autre, à tourner le miroir vers le public lui-même, ses goûts, les questions qui l'animent, ses passions et ses hantises, ses caractéristiques, d'où la place prise par le marketing dans cette forme de presse.

Le fait de disposer de temps permet par ailleurs de faire et refaire tant que le contenu et la forme ne sont pas satisfaisants. Il est toujours possible de ne pas publier un texte ou une photo, une enquête ou un dossier insuffisamment convaincants. Les délais plus importants facilitent, en outre, l'appel à des journalistes extérieurs, les pigistes.

La segmentation du public

Le magazine est une forme de publication qui segmente le public. Cette segmentation peut s'opérer à partir de caractéristiques des lecteurs (sexe, âge, niveau culturel, style de vie). Elle est produite également par la spécialisation du contenu qui va rencontrer les pôles d'intérêt d'une fraction de public (la télévision, le sport, les sciences, l'économie, l'évasion, la vie des stars, etc.). Là où le quotidien et les médias généralistes proposent à chacun d'entre nous de se rassembler en un public, les magazines prétendent au contraire répondre à des attentes spécifiques propres à quelques individus. Chacun est potentiellement appelé à constituer, à tout moment, l'éventail des titres qui correspondent à sa situation, son identité, ses valeurs, ses hobbies, ses préoccupations professionnelles. Selon les périodes de la vie et, même, les moments de l'année, cet éventail peut changer.

« Contrat de lecture »

Chaque magazine part des caractéristiques des lecteurs, de leurs préoccupations, de leurs goûts, pour leur faire une proposition de contenu, une offre, à laquelle ceux-ci adhéreront plus ou moins. Les magazines vont à leurs lecteurs et leur parlent d'eux. La connaissance du lecteur ou de l'hypothétique destinataire est un préalable qui éclaire la place qu'a pu prendre le marketing dans la démarche éditoriale de cette forme de presse. Pourtant les études, aussi fines soient-elles, ne sauraient suffire, voire dire l'essentiel : ce qui va susciter l'enthousiasme, l'adhésion, le plaisir. Pour cela il faut une sensibilité, une capacité à capter les mouvements de fond, à synthétiser des évolutions encore diffuses : tel est le professionnalisme, l'art, le talent du journaliste, du rédacteur en chef, du directeur artistique, de l'éditeur... des quatre à la fois pour bien faire. En cela les magazines sont les seuls médias qui en matière d'information partent non pas d'une réalité exogène du rapport média-public qu'est l'actualité, mais du vécu, des valeurs, des sentiments, de l'imagination des lecteurs.

Valorisation au sein de groupes

L'optimisation de l'économie du magazine s'opère principalement au sein de groupes. L'activité de ceux-ci consiste à valoriser un ensemble de titres. Pour chacun d'entre eux le groupe se centre exclusivement sur la conception éditoriale et le développement d'une stratégie commerciale en direction des lecteurs et des annonceurs. Tout le reste tend à être sous-traité auprès d'opérateurs qui potentiellement peuvent travailler pour l'ensemble de cette forme de presse, qu'il s'agisse des journalistes pigistes, des directeurs artistiques, des agences photo, des imprimeries de labeur, des routeurs, etc.

Internationalisation des concepts

Chaque titre se définit par un « concept » qui allie identité éditoriale et parti pris de traitement. Les concepts de magazines, en tant que contrats établis avec des publics précis, dont les caractéristiques peuvent se retrouver sur plusieurs continents, sont transposables d'un pays à l'autre. L'internationalisation exige des adaptations importantes à la spécificité de chaque pays, mais elle est largement répandue, permettant encore l'optimisation de l'économie de cette forme de presse, là où un titre très ciblé se trouverait à l'étroit sur un marché national.

Un magazine est donc un objet physique, un bel objet qui doit impérativement séduire. Il s'agit d'un objet qui ne prétend pas s'adresser à tout le monde, ni épuiser l'appétit du lecteur. Tout le monde est *a priori* destinataire de la presse magazine, mais pas d'un magazine en particulier. Chacun est potentiellement lecteur de plusieurs magazines. La combinaison de ceux-ci est propre à chaque individu. Elle évolue dans le temps et à chaque instant, en fonction de l'humeur, des problèmes rencontrés dans la vie quotidienne et de la richesse de l'offre disponible.

En adéquation avec l'époque

Les « poids lourds » de la presse magazine figurent parmi les plus grands groupes de communication mondiaux. Deux des trois leaders du marché français sont européens : Bertelsmann (*Femme Actuelle, Télé Loisirs, Géo, Capital,* etc.) et Mondadori (*Télé Poche, Modes & Travaux, Closer, Auto Plus,* etc.). Lagardère (*Elle, Télé 7 Jours, Paris Match, Première,* etc.) est largement mondialisé dans sa diffusion et ses structures. La place occupée par ces géants n'empêche pas l'existence et le dynamisme de groupes de taille « moyenne » : Bayard Presse (*Pomme d'Api, Phosphore, Le Pèlerin, Notre Temps,* etc.), Express-Roularta (*L'Express, L'Expansion, Lire, Atmosphères,* etc.) ou Bauer (*Maxi, Girls !*). À leurs côtés, une myriade d'entrepreneurs créent et développent des titres, parfois indépendants. Chaque année, plusieurs centaines de titres sont lancés sur ce segment de marché. Nombreux sont également ceux qui se transforment au travers de nouvelles formules, mais aussi disparaissent.

Le développement des magazines va se poursuivre dans la prochaine décennie. Le mouvement de segmentation dans lequel ils s'inscrivent est en phase avec le comportement d'un public « zappeur », qui plébiscite des contenus thématisés coïncidant avec ses goûts, ses activités du moment, ses projets, ses préoccupations de classe d'âge ou de statut (magazines pour les « jeunes retraités », les chômeurs à la recherche d'emploi, etc.). Internet comme la télévision numérique sont autant des concurrents que des facteurs d'amplification d'un comportement qui porte les magazines. Soit la constitution par chaque individu de son propre bouquet de titres, de sites d'information, de réseaux radiophoniques, de chaînes thématiques, changeant sans cesse selon l'humeur, les problèmes quotidiens ou les hobbies du moment. Le magazine est en adéquation avec une société centrée sur l'individu. Sa flexibilité et son adaptabilité constituent des atouts majeurs pour celui-ci, dans une phase de mutation complète de l'ensemble des médias, dont les effets devraient se prolonger.

I / Historique

La presse magazine est un média « moderne », apparu entre les deux guerres et plus particulièrement dans les années 1930. Deux facteurs décisifs vont présider à la conception et au développement de cette forme de publication : l'un est social, l'autre technique. Socialement, l'évolution des modes de vie, des rôles sociaux (notamment des femmes), de la variété des pôles d'intérêt incite les éditeurs à proposer des publications spécialisées en fonction du sexe, de l'âge, du lieu de vie, de connaissances ou de sujets d'attention. Techniquement, le développement de l'offset et de l'héliogravure permet un traitement massif et de qualité de l'illustration, et tout particulièrement de la photographie. Il est désormais possible de proposer des publications qui sont autant destinées à être lues que regardées. La mise en page, l'esthétique des photos comme des textes deviennent des éléments de séduction du lectorat et une composante de la concurrence qui s'engage entre les éditeurs.

Les prémices

Dès les années 1930 la variété des familles de magazines proposés aux Français s'enrichit. Tous les grands genres sont représentés et dessinent déjà largement les contours de cette forme de presse.

L'actualité illustrée

L'actualité illustrée, hebdomadaire, se présente naturellement comme un complément, mais aussi un concurrent des quotidiens. *L'Illustration*, qui déjà durant la Première Guerre mondiale avait atteint des tirages de 500 000 exemplaires, est fabriqué régulièrement à 200 000 exemplaires. La famille Dupuy (propriétaire du *Petit*

Parisien) édite, elle, *Dimanche illustré* qui en 1923 est tiré à 500 000 exemplaires. Deux titres sont particulièrement marquants. *Vu*, lancé par Lucien Vogel en 1928, est le premier à donner une place aussi importante à une photographie de grande qualité ; il influencera le *Life* américain. *Match*, petit magazine sportif racheté à *L'Intransigeant* en 1938 par Jean Prouvost (industriel du textile, propriétaire de la Lainière de Roubaix, mais aussi de *Paris Soir* depuis 1931), s'inspirant à son tour de *Life*, connaît des diffusions exceptionnelles, soit 1,1 million en juillet 1939 et 1,4 million en décembre 1939.

L'explosion de la presse féminine

La presse féminine développe progressivement un triptyque : informer, distraire, conseiller les femmes. Elle prend également un essor spectaculaire avec la modernisation et surtout le lancement d'une multiplicité de titres, *Le Petit Écho de la Mode*, *Modes et Travaux*, *La Mode illustrée*, *Femina* (Hachette), *La Mode pratique* (Hachette), *Votre Beauté*, *Diane*, *La Femme de France* (maison Offenstadt), le *Journal de la Femme* (Taillandier), *Votre Bonheur*. Le groupe américain Condé Nast crée le *Vogue* français en 1920 et rachète en 1921 *Le Jardin des modes*. L'agence Havas rachète *Minerva* en 1938, soulignant l'attractivité de cette forme de presse. *Confidences*, créé en 1938, s'appuie sur le courrier des lectrices.

L'événement le plus marquant viendra, là encore, de Jean Prouvost qui, reprenant le ton et le traitement des magazines nord-américains, crée *Marie-Claire* en mars 1937. Celui-ci est très vite tiré à 500 000 exemplaires. Il atteindra les 900 000 en 1939. À la veille de la guerre toutes les grandes familles de magazines féminins ont fait leur apparition : magazines pratiques, familiaux, populaires du cœur, magazines modernes, influencés par leurs homologues nord américains.

De Lisette *à* Mickey...

Les magazines s'adressant aux jeunes sont également nombreux, tels que *Lisette*, *Pierrot*, *Cœurs vaillants*, *Benjamin*, *Jeudi*. En 1934 ils vont connaître une évolution décisive avec l'arrivée des bandes dessinées nord-américaines, déjà amorties sur leur propre marché et cédées à bas prix par leurs créateurs aux éditeurs français et européens. C'est ainsi que le groupe Opera Mundi de Paul Winkler sort successivement *Le Journal de Mickey*, *Robinson et Hop là*. Le premier atteindra un tirage de 400 000 exemplaires en 1939. L'éditeur italien

Del Duca lance sur le marché français *Hurrah* qui atteint les 250 000 exemplaires, *Jumbo* et *Aventures*. Aux deux extrêmes de l'échiquier politique, la Maison de la bonne presse (catholique) transforme *L'Écho de Noël* en *Bayard* (en 1936), alors que le parti communiste lance *Mon Camarade*. En 1939, les magazines pour les jeunes tirent au total à 3 millions d'exemplaires, dont 1,7 million de bandes dessinées d'origine étrangère.

Faits divers et mythes des stars

Une famille de magazines se constitue sur le fait divers, dans lesquels la dramatisation est poussée, alors que les criminels et les policiers sont mis en scène. Le titre leader est *Détective*, publié par Gallimard, auquel collabore Joseph Kessel. Des écrivains comme MacOrlan, Francis Carco, Paul Morand y collaborent. Le titre tire à 250 000 exemplaires. Ses imitateurs et concurrents (*Faits divers, Police et Reportage, Drames, Réalisme*), souvent moins bien faits, connaîtront des fortunes plutôt médiocres.

La même orientation en faveur de l'exploitation de la mythologie des vedettes et du caractère divertissant des histoires constitue les ressorts des magazines de cinéma, qui ne sauraient être confondus avec quelques revues de spécialistes. *Ciné Magazine, Ciné Miroir* (groupe Dupuy), *Mon Film* (Ventillard), *Film complet, Ciné Monde, Pour Vous* sont les principaux représentants de cette catégorie de magazines.

Rêves sur papier glacé

L'attrait pour le divertissement procuré par le magazine lui-même génère enfin des magazines au contenu romanesque. *Veillées des chaumières, Lectures pour tous* (Hachette), *Nos Loisirs* (Dupuy), *Lisez-moi* (Taillandier) *Hebdo Magazine, Dimanche de la Femme, Mes Romans* (Montsouris), *Confession* (les frères Kessel), *Confidences* (500 000 exemplaires en décembre 1938) prolongent d'une certaine manière la lecture des feuilletons proposés par les quotidiens et renouvellent le genre par un contenu plus développé, plus ciblé et illustré en fonction des goûts de chaque lectorat.

Les découvertes scientifiques et techniques, autant que le sport, donnent naissance à des catégories particulières de magazines, plus modestes que les précédentes, dans lesquelles se retrouvent les groupes Dupuy (*La Science et la Vie, Miroir*), Taillandier (*Historia*) et Hachette (*Je sais tout*). La radio donne lieu à la création de magazines de programmes tels que : *Programmes Radio, La Semaine radiophonique* qui tire tout de même à 245 000 exemplaires. Le groupe Dupuy (propriétaire du Poste parisien) est ici également présent avec *Mon Programme* qui tire à 380 000 exemplaires en 1938.

L'envol

Le redémarrage de la presse magazine se fait dès la Libération, avec l'actualité illustrée, les féminins, la presse jeunes et la presse de loisirs. L'essor de cette forme de presse se produit principalement dans les années 1960 et 1970. Il est facilité par un cadre juridique, réglementaire, fiscal extrêmement favorable. Les professionnels de la publicité, de la commercialisation, etc., qui ne trouvent que peu d'opportunités dans la presse quotidienne, très politique, de l'époque, se tournent vers la presse magazine. Il en va de même des capitaux et des groupes qui ont dû abandonner la presse quotidienne, suite au régime d'autorisations et des critères d'attribution de celles-ci dans le cadre des « ordonnances de 1944 » : la famille Dupuy, ancienne propriétaire du *Petit Parisien*, développe le groupe Excelsior (*Sciences et Vie*), Jean Prouvost relance *Marie-Claire* et crée *Paris Match*, l'ancien *Match* étant interdit en raison de faits de collaboration.

Suprématie des féminins

La principale composante, en nombre de titres et en volume d'exemplaires diffusés, sera celle des magazines féminins. *Marie-France* qui paraît dès 1944, *Elle* qui est lancé en 1945, *Marie-Claire* qui reparaît en 1954 promeuvent une image de femme émancipée issue de la société américaine. *Confidences* qui renaît en 1946 et *Nous Deux* qui est créé par le groupe Del Duca en 1947 reprennent la veine de la presse du cœur, auquel viendra progressivement s'adjoindre la presse d'évasion avec *Ici Paris* et *France Dimanche*. Des titres pratiques connaissent également un très grand succès, à la manière de *Modes et Travaux* ou de *Femme Pratique* lancé en 1958.

En 1955, la presse féminine publie 4,3 millions d'exemplaires, en 1959 ce chiffre atteint 6 millions d'exemplaires. Sur douze titres qui en 1960 diffusent plus d'un million d'exemplaires, six sont des féminins. Une étude de 1964 évalue à 80 % la proportion de femmes lisant un féminin. Les années 1960 constitueront toutefois un tournant pour cette famille de magazines. La crise sociale de 1968, et sa traduction dans les mœurs, les modes de vie, les valeurs (les questions de contraception, d'émancipation de la femme, d'égalité des sexes dans le travail et dans le couple, etc.), n'est pas suffisamment appréhendée par la presse féminine, qui voit une partie de son lectorat, jeune, actif, à niveau culturel et intellectuel élevé, se tourner davantage vers les « news magazines ». Il s'ensuivra une profonde restructuration de ce secteur durant les années 1980.

L'apparition des hebdomadaires de télévision

Les hebdomadaires de télévision entreprennent l'ascension qui les mènera au premier plan à partir de 1950, avec la création par le groupe La Vie catholique de *Radio-Cinéma-Télévision*, qui devient *Télérama* en 1955. Bien que les contenus liés à la télévision y occupent une place centrale, le magazine gardera l'originalité d'un traitement substantiel de la radio, du cinéma, puis de la culture. La même année, 1955, est marquée par le lancement de *Télévision, Programme Magazine*, qui deviendra *Télé-Magazine*, par Marcel Leclerc, un éditeur indépendant.

L'entrée des grands groupes sur ce marché n'intervient pourtant qu'en 1960. Jean Prouvost et Hachette se sont associés, pour créer *7 jours Télé 60*, qui deviendra *Télé 7 jours*. Dans leur volonté de s'imposer dans un marché prometteur, mais encore étroit, les deux groupes partenaires ont tenté de dissuader toute concurrence. C'est ainsi qu'ils rachètent à la RTF (Radio télévision française) *Télé 60* et tentent d'obtenir l'arrêt par Marcel Leclerc de *Télé-Magazine*. La même année, le groupe Cino Del Duca tente pourtant sa chance sur le même créneau avec *Télé-Juniors* qui s'adresse plutôt aux 12-20 ans. Faute d'un succès suffisant, le titre est réorienté vers les adultes et devient *TV France* en 1962, puis *Télé Dernière* en 1965. C'est en fait l'idée du petit format avec *Télé Poche*, en 1966, qui permet au second grand populaire de ce secteur de s'imposer.

Les années 1970 voient se multiplier les petits formats, bon marché, avec *Télé-Journal* en 1974, lancé par le groupe EPM 2000 Éditions, puis *Télé Guide* en 1977. La décennie se clôt sur deux créations importantes, *Télé Star* par la CLT (maison mère de Radio Luxembourg) et *Super Télé* vendu dans les supermarchés et supérettes. La progression de la diffusion de cette famille de magazines a été exceptionnellement rapide et importante, puisqu'en 1960 celle-ci était de 563 000 exemplaires, en 1965 elle atteint 2 137 000. En 1970, les 3 500 000 sont franchis. La décennie se termine sur 6 300 000 exemplaires, chiffre qui sera largement dépassé dans les deux décennies suivantes.

L'invention du news à la française

Les hebdomadaires d'actualité connaissent une mutation radicale avec l'apparition des « news magazines », au milieu des années 1960. Au lendemain de la Libération, chaque famille de pensée crée ou relance des périodiques d'actualité ou d'information politique, parallèlement au foisonnement des quotidiens. Une autre branche de cette famille est constituée des hebdomadaires illustrés, au premier rang desquels figure *Paris Match*, qui reparaît en 1949 à l'initiative de Jean Prouvost. Sur 44 pages, celui-ci comporte 25 pages de photos, dont 12 en quadrichromie. Après une année médiocre, le titre prend son envol et bat tous les records, avec par exemple 1,8 million d'exemplaires en 1957.

Pourtant l'ensemble de cette famille de titres va se trouver très brutalement atteinte par la mutation que connaît la France au sortir de la guerre d'Algérie (1962). Les Français vont enfin profiter véritablement de la paix, d'institutions politiques stabilisées, d'une économie qui décolle. Chacun découvre les plaisirs de la consommation, de l'amélioration des conditions de vie, des loisirs, ainsi que la télévision...

De ce décalage va naître une nouvelle génération d'hebdomadaires d'information, traitant de l'actualité, généralistes, mais pratiquant un nouveau dosage entre la politique, l'économie, les questions de société, la culture, les loisirs, etc. Il s'agit des *news*, dont l'origine sera à la fois nord-américaine et européenne. *L'Express* en sera le pionnier, constituant une synthèse originale, nationale, au point que l'on parle aujourd'hui de « news à la française ».

L'Observateur, créé par Claude Bourdet, Gilles Martinet et Roger Stéphane en avril 1950, suite à un désaccord avec la direction de *Combat*, va également instaurer une nouvelle formule en 1964. Jean Daniel a réussi à obtenir le soutien d'un jeune industriel, Claude Perdriel, qui apporte à l'hebdomadaire les moyens qui lui faisaient défaut. *Le Nouvel Observateur* opère une évolution plus progressive que celle de *L'Express* ; celle-ci va pourtant dans le même sens, ce que confirmera un nouveau lancement du titre en 1972, où celui-ci change de format et réorganise également l'équilibre de ses principales composantes rédactionnelles. De 110 000 exemplaires en 1966, le titre franchit les 250 000 en 1971, puis les 300 000 en 1974.

Entre-temps, la famille s'est enrichie d'un troisième « news à la française », lancé cette fois avec l'appui de Hachette en 1972. Il s'agit du *Point*, qui dès 1974 atteint lui-même les 275 000 exemplaires. Cette atomisation dans cette forme de publication, où l'on trouve rarement plus de deux titres à l'étranger, ne s'arrêtera pas là, puisque

---

L'Express

En 1962-1963, *L'Express*, créé par Jean-Jacques Servan-Schreiber dans le climat passionnel de 1953, pour soutenir Pierre Mendès France, voit sa diffusion s'effondrer, faute d'une actualité suffisamment porteuse. Son jeune propriétaire ainsi que l'équipe dirigeante ont alors le sentiment que le titre doit être totalement repensé en s'inspirant des grands hebdomadaires d'actualité anglo-saxon. Jean-Louis Servan-Schreiber, le jeune frère, se voit confier une mission d'étude qui le mène aux États-Unis, en Allemagne, etc. À son retour un travail d'alchimie s'engage, visant à établir une synthèse entre le *Time* nord-américain, *Der Spiegel* et la sensibilité française.

Les méthodes de marketing, d'étude du public comme des annonceurs, font leur apparition.

Le résultat en sera la « nouvelle formule » de 1964 : changement de format, meilleur papier, davantage de photographies, une mise en scène de l'information, un travail spécifique sur la couverture, un équilibre différent du rédactionnel avec une large place donnée à la culture, aux modes de vie, aux mœurs, à l'économie. Les méthodes de la rédaction évoluent. Les journalistes travaillent en petites équipes sur des enquêtes, des dossiers beaucoup plus développés. Un soin particulier est apporté à l'écriture, à un style plus vivant, nerveux, agréable. La réaction du public est rapide, dès 1970 le titre atteint 500 000 exemplaires, en 1974, 740 000 exemplaires, alors qu'il plafonnait à 140 000 exemplaires aux heures les plus sombres de la guerre d'Algérie, en 1961.

les décennies 1980 et 1990 verront la création de *L'Événement du jeudi*, puis de *Marianne*, à l'initiative de Jean-François Kahn.

Nouvelles méthodes, nouveaux acteurs

L'histoire de l'apparition des « news » enFrance est révélatrice de plusieurs atouts de la presse magazine, au premier rang desquels figurent son adaptabilité et sa réactivité. Le vieillissement d'une formule a des effets très rapides sur la diffusion mais, inversement, des renouvellements de contenu et de maquette très radicaux ainsi que des relancements permettent de véritables rebonds de la diffusion. *L'Express* inaugure des méthodes d'étude marketing, de commercialisation, de promotion observées outre-Atlantique, mais fondamentalement issues des industries de grande consommation.

L'achèvement de la décennie 1970, outre l'enrichissement de familles de titres telles que la presse de loisirs (en de nombreuses sous-catégories), le renouvellement de la presse jeunes (avec l'apparition d'une presse « éducative » à l'initiative de Bayard Presse), se trouve marqué par l'affirmation de groupes dont la spécialité se trouve dans les magazines ou dont l'activité magazine assure le développement. Au premier rang de ceux-ci figure Hachette qui, faisant figure de géant, se voit taxer de « pieuvre verte », mais il faut

Les NMPP, facteur de création de titres pour les magazines

La loi Bichet de 1947 entendait rompre avec le retour au monopole privé de Hachette sur la distribution, qui avait cours avant guerre. Le texte stipule que les publications ont le choix entre se distribuer elles-mêmes (ce qui n'intéresse que la presse locale) ou recourir au service d'un système fondé sur des coopératives, dont ils sont membres de droit. Les cinq coopératives vont s'allier avec Hachette pour créer les Nouvelles Messageries de la presse parisienne (NMPP), dont elles détiennent 51 % du capital. Hachette nomme le directeur général et est l'opérateur logistique. Le groupe privé perçoit une rémunération annuelle pour cette prestation.

Les NMPP se doivent d'accepter toute publication qui en fait la demande. L'éditeur décide des lieux où il veut être diffusé et du nombre d'exemplaires qui doit être mis en place dans chaque point de vente. L'éditeur est rémunéré pour chaque exemplaire vendu (au taux moyen de 60 % de la valeur faciale en 1999). Les NMPP concèdent aux éditeurs des avances sur leurs ventes qui améliorent leur trésorerie, notamment pour les mensuels. Au nom du principe de « péréquation », qui doit assurer une égalité de traitement entre les titres (bien que depuis les années 1990 un système de points de bonification ou de pénalité ait été introduit), les mêmes taux de prélèvements sont pratiqués quel que soit le prix, le poids, le format ou le taux d'invendus d'un titre.

Le système permet à un nouveau titre d'entrer sans difficulté et sans surtarification dans le système de distribution et d'être « pris en main » par la clientèle de tous les points de vente où l'éditeur a décidé d'être présent. Cette liberté d'accès au réseau et l'absence de prise en compte des surcoûts générés par les nouveaux titres (liés à des taux d'invendus plus élevés, par exemple) sont considérées comme beaucoup plus incitatives que ce qu'offrent les systèmes de distribution existant à l'étranger. Ceux-ci sont en effet dominés par des opérateurs privés qui fixent les taux de rémunération, introduisent des pénalités pour les taux élevés d'invendus, décident des quantités à mettre en place et des points de vente qui seront servis. L'égalité de traitement dont bénéficient, en France, les nouvelles publications conduit à ce que les surcoûts qu'elles génèrent pour le réseau de distribution soient pris en charge par la collectivité des titres existants.

compter aussi avec Cino Del Duca (*Télé Poche, Modes et Travaux*, etc.), Prouvost, Hersant (avec notamment *L'Auto Journal*), Excelsior, Bayard Presse, Les Publications de la Vie catholique et un jeune aux dents longues, Daniel Filipacchi, auquel on doit une presse « yé-yé » pour adolescents dont le porte-drapeau est le célèbre *Salut les copains* (issu d'une célèbre émission de radio sur Europe 1, animée précisément par Daniel Filipacchi), qui dépassera les 700 000 exemplaires. Ces groupes aux dimensions qui restent modestes au regard de leurs homologues anglo-saxons ont échappé à la rigueur des préoccupations anti-concentration des ordonnances de 1944. Ils vont entrer avec les années 1980 dans une nouvelle période dominée par la course à la taille, l'internationalisation, la diversification multimédia, la concurrence avec de nouveaux venus de la presse européenne.

Un contexte très favorable aux magazines

L'un des paradoxes qui se font jour, en effet, tient au fait que si la presse magazine échappe largement aux dispositions restrictives des « ordonnances de 44 » (refus de la concentration, impossibilité pour des investisseurs ou éditeurs étrangers d'intervenir en France), elle bénéficie en revanche du système d'aides à la presse, ainsi que de certaines structures « connexes » pour l'approvisionnement en papier et la distribution.

Florissante mais aidée

Les magazines sont les principaux bénéficiaires de l'aide postale, ainsi que de l'aide au transport des journaux par la SNCF (50 %). Ils sont exonérés de taxe professionnelle, soutenus au titre de l'exportation de la presse française. Ils peuvent grâce à l'article 39*bis* du code des impôts provisionner une part de leurs bénéfices sur cinq ans afin d'investir dans la modernisation (le taux est un peu moins favorable que pour les quotidiens). Lorsque la TVA sera créée, ils obtiendront un taux préférentiel, plus élevé que celui des quotidiens, mais celui-ci sera finalement aligné sur celui des quotidiens (2,1 %) à la fin des années 1980 (à un moment où les magazines se portent merveilleusement bien !). Il faudra attendre les années 1990 pour que la priorité à l'aide aux quotidiens se fasse jour (dans le cadre de la réforme de l'aide postale), puis le vote en 1997 d'une taxe de 1 % sur le hors-média dont le bénéfice devrait aller à la modernisation des seuls quotidiens.

Les magazines bénéficient en outre totalement des structures de distribution de la presse issues de la loi Bichet de 1947, et notamment des NMPP, qui vont pendant les premières décennies de l'après-guerre largement financer le développement de la diffusion des magazines par les quotidiens grâce à une péréquation des coûts, tout en leur assurant l'accès à 36 000 points de vente. Dans une moindre mesure ils bénéficient du soutien apporté par l'État à l'AFP (40 % de son chiffre d'affaires, soit en 2008 près de 109 millions d'euros).

Maturité

Naissance du groupe Matra Hachette

La décennie 1980 s'ouvre sur la prise de contrôle de Hachette par Matra, alors même que Jean-Luc Lagardère, P-DG de Matra, obtient simultanément le ralliement de Daniel Filipacchi, avec ses titres « ados », *Salut les copains* et *Mademoiselle âge tendre*, ses titres de la presse de charme, avec *Lui, Playboy, Union*, ainsi que des publications très spécialisées comme *Son Magazine, Photo, Ski Magazine*. Matra, de son côté, apporte de la presse quotidienne (sa filiale, la Librairie Quillet, est propriétaire des *Dernières Nouvelles d'Alsace*) et sa participation dans Europe 1.

Le leader de la presse magazine française est ainsi le premier groupe réellement multimédia, avec des activités dans le livre, la radio et la production audiovisuelle. Au cours de la même décennie le groupe amplifie son internationalisation, multipliant les éditions de *Elle*, de *Première*, ainsi que par le développement de sa filiale espagnole et le rachat, aux États-Unis, de la maison d'édition Grollier et de l'éditeur de magazines Diamandis, avec des titres tels que *Car and Driver* et *Woman's Day*.

Le règne des groupes

D'autres groupes connaissent un développement important, c'est le cas par exemple des Éditions Mondiales, nouvelle dénomination du groupe Del Duca, après son changement de capital. Celui-ci réalise de nombreuses acquisitions, auxquelles s'ajoutent quelques créations, en partenariat, telles que *Auto Plus*, avec le groupe allemand Springer. Bayard Presse, Excelsior, Marie-Claire, Milan créent de nombreux titres, tout en engageant leur propre internationalisation.

C'est également durant cette décennie que le groupe Prisma presse, filiale française de Bertelsmann, créé en 1978 pour éditer au départ une édition française de *Géo*, va prendre son envol avec la création d'un titre tous les dix-huit mois, soit au total cinq titres : *ça m'intéresse* (1981), *Prima* (1982), *Femme Actuelle* (1984), *Télé Loisirs* (1986), *Voici* (1987). En 1989 le groupe rachète deux magazines de cuisine (*Guide Cuisine* et *Cuisine Actuelle*), afin de compléter son approche du marché des féminins. Sur les cinq créations de la décennie, trois ont une diffusion qui dépasse le million d'exemplaires.

Tout aussi symboliquement durant la décennie, les news magazines se trouvent progressivement intégrés à des groupes : *L'Express*, d'abord dans la Générale occidentale, puis au sein d'Alcatel Alsthom, avec *Le Point*. Hachette prend une participation dans *L'Événement du jeudi*, alors même que Claude Perdriel construit un petit groupe de médias autour du *Nouvel Observateur*, avec *Sciences et Avenir*, *Challenges*, *Profession Parents*, ainsi que de l'édition télématique, sans oublier *Le Matin de Paris* qui disparaîtra au cours de la même décennie.

Sur le plan éditorial, la suprématie de la presse télévision se trouve confirmée avec la création de titres à succès comme *Télé Z* ou *Télé Loisirs*. La diffusion totale frise les dix millions d'exemplaires, sans compter les suppléments télévision accompagnant les quotidiens, lancés par Hommel et par le groupe Hersant. Les groupes s'emploient désormais à développer des gammes de titres dans un même créneau, à la manière de Bayard Presse et de Milan dans la presse jeunes. Une thématisation de plus en plus fine se fait jour dans la presse de pôle d'intérêt qui connaît une progression très sensible. Durant toute la décennie, la progression des ressources publicitaires, sans être aussi forte que dans d'autres segments de la presse, est extrêmement régulière, avec + 10 % en moyenne par an. La rentabilité est souvent très satisfaisante. Le point noir sera celui de la diversification, hormis la télématique où se produisent quelques belles réussites (notamment les services associés au *Nouvel Observateur*). Hachette est seul à s'installer dans la radio, avec Europe 1 Communication, alors que personne ne réussira à bénéficier de l'ouverture de la télévision au privé.

Les années 1990 et la panne de pub

Sur bien des points les années 1990 se présentent comme le prolongement des tendances de la décennie précédente. Celles-ci vont pourtant s'ouvrir sur le choc très sévère de la récession publicitaire. Durant trois années (de 1991 à 1993) les recettes publicitaires reculent. En 1993, l'année la plus rude, le recul est de 14 % ! Les années suivantes sont meilleures et retrouvent une progression, mais celle-ci est beaucoup plus modeste (3,5 % en 1995, 3,3 % en 1996). La « panne de publicité » fait éclater une série de contradictions ou d'excès qui s'étaient développés dans les magazines. Au premier rang de ceux-ci, les méthodes de vente forcée, dopée par des cadeaux et des remises très substantielles, l'essentiel étant de gagner de l'audience pour la vendre au mieux aux annonceurs. Lorsque ceux-ci viennent à manquer il reste une exploitation structurellement déficitaire et surtout des titres qui ne savent plus se vendre au juste prix pour leur contenu, leur utilité...

Les news, désormais comme à l'étroit sur leur segment de marché, expriment particulièrement cette difficulté. Le dynamisme du marché publicitaire avait également conduit certains éditeurs à créer des titres essentiellement en fonction des annonceurs, sortes de « pièges à pub ». Là encore, lorsque les annonceurs boudent, ces titres vacillent et vont parfois disparaître. Enfin la polarisation sur les annonceurs a pu conduire à un manque de distance vis-à-vis de ceux-ci, de leurs produits, de leurs messages. Leur crédibilité vis-à-vis des lecteurs en a souffert, le lectorat privilégiant des publications s'adressant au consommateur, au citoyen, etc.

L'internationalisation atteint quant à elle une telle ampleur que l'on peut parler de « globalisation » du marché des magazines. Hachette Filipacchi Médias crée par exemple un *Première* japonais, un *Elle* sud-africain, un *Parents* et un *Paris Match* russes. Sur le marché français se multiplient les titres lancés en *joint venture*, avec Springer par exemple, comme *Computer Plus*. Et surtout un groupe, nouveau venu, fait une entrée en masse, le Britannique Emap, qui rachète les Éditions Mondiales, les magazines du groupe Hersant, puis un peu plus tard *Télé Star*. De son côté la segmentation du marché ne cesse de s'amplifier. Faut-il y voir l'une des raisons des difficultés des news magazines, désormais trop nombreux (ils sont cinq désormais), peut-être trop généralistes, en tout cas vieillis dans leur conception éditoriale ?

Affirmation d'autonomie

Les magazines ne veulent plus voir leur développement et leur économie entravés par les structures et les priorités de la presse quotidienne. C'est ce qui conduit une partie d'entre eux (avec à leur tête les groupes Hachette, Havas, Prisma Presse et Emap) à quitter la Fédération nationale de la presse française (FNPF) pour créer le Syndicat de la presse magazine d'information (SPMI) en 1995. Dans tous les domaines les besoins spécifiques des magazines sont affirmés, alors même que ceux-ci insistent pour que disparaissent les « distorsions de concurrence » ou les systèmes de péréquation (papier, distribution), qui auraient montré leur inefficacité tout en pénalisant inutilement les magazines.

Les magazines ont créé leur propre organisme d'analyse de l'audience, « Audiences études sur la presse magazine » (AEPM). Ils obtiennent un renforcement de l'autonomisation de leur mode de distribution (centres spécialisés au sein des NMPP). Ils affirment leur souhait de disposer de formation spécifique pour les journalistes [1], ainsi que leur volonté de faire évoluer le cadre juridique, la responsabilité éditoriale pouvant être déléguée aux responsables de titres (et non plus au propriétaire). Ils critiquent la convention collective, demandent la révision du statut des pigistes et contestent la composition de la Commission paritaire des publications des agences de presse (CPPAP), dans laquelle les quotidiens occupent une place comparable à celle des magazines, ce qui ne correspondrait plus à la situation économique de chacune des familles de presse.

Confrontation à la mutation médiatique des années 2000

Les années 2000 se sont ouvertes sur la confrontation à une nouvelle mutation de l'ensemble du système médiatique. Les télévisions, en devenant toujours plus nombreuses, avec le satellite ou la TNT, sont désormais spécialisées et segmentantes, rompant avec le monopole que connaissaient les magazines dans ce domaine. L'Internet et le mobile sont devenus de redoutables concurrents en matière d'information pratique et utilitaire, rendant sans objet des titres dont c'était la spécificité. Il faut donc redéployer le média sur ce que sont désormais ses points forts, sur le fond comme sur la forme. La propriété des groupes qui dominent le média, désormais totalement financière (cotation en Bourse, fonds d'investissement), appelle des niveaux de rentabilité en constante progression, comme de substantielles perspectives de développement. Faute de quoi les cessions et acquisitions se multiplient, confrontant les titres et les équipes qui réalisent à une profonde instabilité de structure et de lignes managériales.

1. Durant l'automne 1998, le SPMI publie un document intitulé : « Les attentes des éditeurs de presse magazine en matière de compétence des journalistes. »

II / Une logique industrielle

Les ressorts du développement des groupes de presse magazine sont différents de ceux qui ont poussé à la création de groupes de quotidiens. Pour ces derniers la motivation était d'abord celle de l'influence : soutenir une vision du monde, une idéologie, une conception politique, ou protéger les intérêts d'un secteur économique. Pour les magazines la logique est principalement économique. L'appartenance à un groupe facilite les conditions de lancement, de développement et de rentabilisation d'un titre, à contenu, présentation et forme de commercialisation équivalents. Même s'il faut se garder de pousser à l'excès la formule, les magazines relèvent d'une économie de produits de grande consommation, là où le quotidien reste davantage dans le registre du prototype, non reproductible, difficilement internationalisable.

L'entreprise réseau

Les cinquante années de développement ininterrompu de la presse magazine sont marquées par une transformation des modes de conception, de gestion, d'exploitation des titres, ainsi que des structures des groupes dans une logique que l'on peut qualifier d'« industrielle », même si elle passe par une « externalisation » de la fabrication, notamment de l'impression, souvent perçue à tort comme le symbole de la dimension industrielle de la presse. La mue progressive des groupes de magazines débouche sur une exploitation des titres — des « marques », dit-on dans ce secteur — au travers d'un type d'organisation qui peut être qualifié d'« entreprise réseau ». La valeur ajoutée, la compétence s'y concentrent sur l'activité éditoriale proprement dite (conception et réalisation des titres) et les modes de commercialisation en direction des lecteurs comme des annonceurs. Tout le reste peut être tendanciellement sous-traité.

Les cellules-titres

Le cœur du réseau est constitué d'un ensemble d'unités, souvent extrêmement légères, correspondant chacune à la réalisation et à l'exploitation d'un titre. Les mensuels représentent la forme la plus achevée de cette structure, puisque l'on n'y trouvera parfois que trois personnes : le directeur, parfois aussi appelé éditeur, le rédacteur en chef, le directeur artistique (le DA). Chez Prisma Presse, un « dossier » (simple idée de publication) ne devient un « projet » que lorsque a été réuni ce trio chargé de porter le futur titre jusqu'à son lancement.

Cela n'interdit pas qu'éditeurs, directeurs artistiques ou rédacteurs en chef soient en charge de plusieurs titres d'une même « gamme ». C'est le cas par exemple pour les directeurs des publications jeunes de Bayard Presse ou pour l'éditeur des magazines people de Prisma Presse. Certains groupes préfèrent également faire appel à des directeurs artistiques indépendants.

Chacune des cellules-titres va alors s'appuyer sur des services fonctionnels du groupe, souvent filialisés, ou des sous-traitants. Il revient au directeur du titre d'organiser sa propre combinaison de moyens, avec plus ou moins d'autonomie. La règle la plus souvent admise est celle d'un arbitrage entre les performances, les prix des services fonctionnels, filiales et différents sous-traitants possibles. Cette possibilité est le principal garant de la qualité et de la compétitivité de chaque service fonctionnel du groupe, car elle maintient la pression concurrentielle.

L'« armée des pigistes »

Au premier rang de l'« externalisation » des différentes fonctions figure l'activité journalistique, au travers du recours aux pigistes. Les hebdomadaires, en raison des urgences et du rythme tendu de leur périodicité, préfèrent conserver des rédactions avec des journalistes en poste. Cela n'empêche pas la croissance du nombre de pigistes collaborant à ceux-ci. Certains mensuels tiennent à intégrer quelques chefs de service et secrétaires de rédaction. Il est de plus en plus fréquent de trouver des titres dans lesquels ces fonctions sont également confiées à des pigistes « réguliers », dans la mesure où leur collaboration se poursuit sur une période prolongée.

Le rapport entre le groupe et certains de ses pigistes s'assimile d'autant plus à une sous-traitance classique que la commande d'un dossier ou d'un reportage entraîne une négociation sur un prix. À charge pour le journaliste de trouver ses collaborateurs, photographes, illustrateurs, etc., qu'il rémunérera sur le budget alloué. Un photographe spécialisé dans les reportages sur l'Asie qui ne se sent pas assuré dans l'écriture s'adjoint un rédacteur pigiste avec lequel il a l'habitude de coopérer et qu'il rémunère lui-même pour cela.

Le rédacteur en chef peut également négocier l'achat d'articles à d'autres titres français ou étrangers. Cette pratique est très développée dans les titres internationalisés, entre différentes éditions. Chaque année les différents rédacteurs en chef des éditions de *Elle* s'échangent des milliers de pages d'articles. Les articles peuvent être également achetés ou commandés à des agences spécialisées. Les photographies sont négociées — parfois dans une concurrence très âpre — auprès d'agences. L'infographie est commandée à des agences spécialisées dans ce domaine neuf, en pleine évolution.

Sous-traitance à tous les niveaux

Le directeur artistique, intervenant sur plusieurs titres, qu'il soit indépendant ou en poste dans le groupe, aura également le choix entre une collaboration avec des maquettistes et secrétaires de rédaction affectés à un seul titre, travaillant sur plusieurs titres voisins ou encore pigistes. Il sera, de même que le rédacteur en chef, en relation avec la photogravure, elle-même sous-traitée.

Quant au directeur du titre, il aura dû sélectionner l'ensemble de ses sous-traitants en matière de fabrication, du pré-presse (ensemble des opérations techniques intervenant en amont de l'impression) au brochage en passant par l'impression. Ses choix sont dominés par des considérations de qualité de rendu, de rapidité d'exécution et de prix. Bayard Presse a ainsi cédé son impression à Hachette, qui restera l'un des derniers groupes de magazines français à posséder une puissante activité dans ce domaine. Les anciennes imprimeries Del Duca n'ont pas été rachetées par Emap lors de la reprise des Éditions Mondiales. Prisma a le choix de faire imprimer ou non ses titres en Allemagne, chez Bertelsmann. Mondadori France, Marie-Claire, Perdriel, Milan, etc. n'ont pas d'imprimeries.

Mise en concurrence des « fabricants »

Ce recours à la sous-traitance a été un puissant facteur de pression sur les tarifs des fabricants, sachant que pour les mensuels la mise en concurrence des imprimeurs, voire d'une partie du pré-presse, déborde largement les frontières nationales, en Italie, en Espagne, en Hongrie, etc. Ces conditions ont permis de modifier radicalement le contexte social au sein du « labeur » (secteur de l'impression non lié à la presse quotidienne), ramenant les salaires ouvriers à des niveaux beaucoup plus proches des prix du marché. Ce que n'ont toujours pas réussi à obtenir les éditeurs de quotidiens. La sous-traitance de la fabrication a joué également comme un puissant facteur de concentration, le secteur étant désormais dominé par un grand opérateur, Québécor. Seuls de grands industriels sont capables de réaliser les investissements nécessaires aux exigences de qualité et de prix des magazines, pour lesquels l'attrait physique du produit est essentiel vis-à-vis des lecteurs comme des annonceurs.

Arbitrages pour les services commerciaux

Dans le domaine commercial, où les groupes sont attachés à la confidentialité d'informations « stratégiques » comme les fichiers d'abonnés, les données de vente des différents kiosques, maisons de la presse, rayons de supermarchés etc., les services commerciaux des groupes ou des départements spécialisés des groupes s'emploient également à alléger de nombreuses opérations : gestion des fichiers, relance de fin d'abonnement, conception et réalisation de mailing, marketing téléphonique, campagnes de promotion par l'affichage, la radio, etc. Tout n'est pas sous-traité. Chaque groupe a sa religion dans ce domaine. La tendance est pourtant à voir chacune de ces opérations être soumise à un arbitrage coûts-avantages entre la réalisation en interne et les diverses offres en sous-traitance.

Régies intégrées ou régies externes

La vente de l'espace publicitaire relève de la même logique, sachant que certains groupes, par leur histoire, leur culture, sont plutôt portés à privilégier la régie en interne, dite « intégrée », ou au contraire la sous-traitance. Les éditeurs anglo-saxons ou allemands sont plus attachés à la maîtrise en interne de cette activité très stratégique. Prisma Presse, filiale de Bertelsmann, dispose ainsi depuis toujours d'une régie intégrée. Les groupes français quant à eux connaissent depuis plus d'un siècle la sous-traitance à des régies publicitaires externes, avec le rôle historique de Havas dans ce domaine. Hachette a toujours voulu maîtriser sa propre régie, avec sa filiale Interdéco. Bayard Presse s'en remet à une régie externe. Il y gagne des possibilités de couplage et une compétence qui passe par des commerciaux très expérimentés et des outils de valorisation de titres (indicateurs et batteries d'études quantitatives et qualitatives), plus puissants et sophistiqués que ceux qu'il pourrait déployer pour son propre compte.

Le marketing, les études, le développement, la gestion, la publicité, la vente, les ressources humaines, l'international, etc. sont autant de domaines essentiels pour l'activité de chaque cellule-titre qui sont mis à disposition par les groupes, mais pour lesquels la ligne de partage entre ce qui doit être maîtrisé en interne ou sous-traité bouge d'un groupe à l'autre, d'une période à une autre ou en fonction du problème spécifiquement posé par le titre.

Le marketing

L'intégration du marketing constitue le symbole du développement des magazines dans les années 1960. Le marketing est un mode d'analyse du marché et des conditions d'adaptation du produit à ce marché (ses caractéristiques propres, son mode de commercialisation, son prix). Concrètement, dans son adaptation à la presse, le service du marketing fournit toute une série d'informations, de données et d'indicateurs à chaque service opérationnel (rédaction, fabrication, vente, publicité) sur la concurrence, les attentes et les caractéristiques du public et des annonceurs, ainsi que sur les niveaux de satisfaction des uns et des autres à l'égard d'une publication donnée. C'est dire que le marketing apporte une maîtrise d'ensemble de l'activité de l'éditeur, de la conception du titre jusqu'à la commercialisation finale.

Des structures diversifiées

Selon l'entreprise ou le groupe, il est possible de trouver des services de marketing qui intègrent le marketing éditorial, le marketing lecteur et le marketing publicitaire. Il est aussi fréquent de voir ceux-ci éclatés en plusieurs services distincts. Suivant la taille des groupes, les structures seront centralisées ou au contraire spécifiques à chaque titre ou famille de titres.

La culture du groupe peut conduire à voir le marketing intervenir en respectant une forte autonomie de l'éditorial, ou bien il se trouvera très imbriqué avec celui-ci. Un groupe comme Prisma Presse, qui a la réputation de lancer des titres très « marketés », autrement dit conçus et définis par le marketing, pratique une intégration forte du marketing et de l'éditorial. La démarche marketing se trouve partagée par le rédacteur en chef et l'éditeur. Ces derniers disposent des outils nécessaires en matière d'étude du lectorat, d'analyse de la diffusion, de performance sur le plan publicitaire, etc., de façon à pouvoir poser les diagnostics adaptés et piloter au mieux la réalisation de leur titre au jour le jour. En revanche il n'existe pas de service du marketing en tant que tel.

Les méthodes

La manifestation la plus immédiate de l'introduction du marketing est constituée par le développement de tout un éventail d'études qui ont pour objet d'éclairer la décision de créer ou faire évoluer un titre pour les responsables de l'entreprise. L'apparition puis le développement du marketing se sont concrétisés par l'apparition de cellules d'études intégrées, comme chez Bayard Presse, ou par une politique de sous-traitance à des bureaux d'études spécialisés. En fait la pratique consiste le plus souvent à mixer ces deux démarches, études internes, sous-traitance à des bureaux d'études.

Le marketing ne se résume pourtant pas à l'identification des études nécessaires, leur pilotage et leur exploitation. Celles-ci n'ont de sens que comme moyen de nourrir et argumenter une démarche beaucoup plus globale :

— il permet ainsi d'éclairer l'activité de la rédaction vis-à-vis du destinataire final qu'est le lecteur et de vérifier que le contenu et la mise en forme du « produit » sont conformes aux attentes de celui-ci. Il ne doit, en revanche, en aucun cas se substituer à l'activité de création éditoriale proprement dite. Il ne saurait dire ce que doit être le contenu d'un titre ;

— il optimise la recherche du périmètre des annonceurs pouvant être concernés par un titre. Il fournit aux « commerciaux » les argumentaires les plus pertinents pour justifier le choix de ce support face à ses différents concurrents, tout en suggérant les meilleures utilisations possibles de celui-ci ;

— il précise dans quelle zone de prix doit être proposé le titre en fonction de la clientèle visée. Il intervient dans le choix des différents réseaux de commercialisation, tant celui des abonnés que celui de vente en kiosque, ainsi que dans la manière d'animer ces réseaux. Il permet de préciser dans quelles conditions doit se mener la communication sur le titre (période, nature des messages à promouvoir, supports à privilégier).

Répartition entre vente au numéro et abonnements
(en pourcentage)

	Total	TV	Fém.	Actu	News	Éco	Enfant	Ado
Au numéro	66	73	82	71	35	29	38	70
Abonnement	32	26	16	28	64	70	56	26

Les chiffres sont arrondis et concernent l'année 1997. L'Observatoire est une émanation de Diffusion Contrôle (OJD). Les familles de titres de cet organisme sont parfois définies différemment que dans la présentation retenue dans cet ouvrage.

Source : Observatoire annuel de l'écrit.

Les études

La palette des études utilisées pour les magazines est extrêmement large. Celles-ci sont menées très régulièrement pour chaque titre. Certaines phases telles que les lancements, les nouvelles formules, les périodes de stagnation ou de fléchissement de la diffusion conduisent à intensifier la réalisation d'enquêtes de toutes sortes, afin de cerner au mieux les problèmes posés. L'éventail des destinataires s'est élargi. Aux côtés des responsables du marketing, de la vente de l'espace publicitaire, de la promotion, figurent désormais les éditeurs-responsables des titres, les directeurs artistiques et même les responsables des rédactions. Il n'est pas rare que, lors de séminaires de titres (trimestriels ou semestriels), l'ensemble de la rédaction prenne connaissance des conclusions d'études et soit amené à travailler sur les résultats de celles-ci aux côtés des responsables du marketing, de la publicité, des ventes, etc.

Au risque de schématiser, il est possible de dire que chaque grand type de destinataire conduit à définir un type d'étude. Les rédactions ont besoin de données sur les pratiques de lecture et les caractéristiques des lecteurs. Les commerciaux ont besoin de connaître : qui achète et comment ? La régie cherche à savoir quel est le contexte de consommation du lecteur de magazine. Autrement dit, que fait-il en dehors de la lecture ?

L'analyse de l'audience

Les études les plus classiques et les plus anciennes consistent dans l'évaluation du volume de lecteurs : l'audience des titres. Longtemps en France celle-ci fut assurée par le Centre d'étude des supports de publicité (CESP) pour les magazines et les quotidiens. La méthodologie et le suivi étaient conjointement assurés par les éditeurs et les différents acteurs publicitaires (régies, agences, annonceurs). Le système devait pourtant éclater, rongé par les dissensions entre quotidiens et magazines. Deux organismes opèrent alors, EuroPQN pour les quotidiens et Audiences études sur la presse magazine (AEPM). Les publicitaires ne sont plus présents. L'objectif de la presse magazine était d'étudier davantage de titres, avec un échantillon plus large. Il s'agissait également d'associer les données d'audience à des données de consommation et de modes de vie intéressant les annonceurs. Les éditeurs entendaient enfin valoriser leurs propres résultats en fonction des objectifs de développement de la presse magazine. En 2005, les deux enquêtes sont à nouveau réunies, au sein d'un organisme commun — Audipresse — avec l'objectif d'harmoniser les méthodologies d'étude des magazines et des quotidiens.

Les résultats obtenus sont limités : l'enquête portait en 2007 sur 167 titres et l'échantillon avait été porté de 15 000 à 21 300 personnes. L'entrée en vigueur d'un système d'enquête informatisé devait permettre d'élargir encore le nombre de titres, mais cela est resté obligatoirement limité vu la difficulté de présenter autant de titres aux personnes interrogées. Les domaines associés sont présentés dans un questionnaire « auto-administré ». Ils prennent en compte l'équipement, certaines consommations, les pratiques de loisirs, les habitudes en matière d'écoute de la radio-télévision.

Les publications trop petites pour avoir le droit d'accéder à l'AEPM n'ont d'autre solution que de faire réaliser des enquêtes spécifiques permettant de situer leur audience, vis-à-vis d'un public particulier, à l'intérieur d'une famille de titres. Ils peuvent également se tourner vers l'étude SOFRES 30 000, dont l'échantillon très large permet de retrouver des titres plus modestes que ceux de l'AEPM. La presse jeunes, aux nombreux titres à diffusion restreinte et à public très spécifique, fait appel au Cabinet Diapason dont les études font autorité sur ce marché. Dans la plupart des cas ces études n'ont pas une crédibilité comparable à celle de l'AEPM pour les annonceurs comme pour les publicitaires.

Les études sur le contenu

Plusieurs méthodologies sont couramment utilisées pour évaluer la fréquentation, voire l'appréciation des lecteurs à l'égard du contenu d'un magazine. La démarche quantitative la plus courante consiste à demander à un échantillon de lecteurs d'indiquer sur un ou une série d'exemplaires ce qu'il a vu ou lu, partiellement ou complètement. Cette méthode, dite « Vu/Lu », permet d'établir des statistiques exprimant la plus ou moins grande attractivité des rubriques, des pages, des articles, des photos ou des messages publicitaires.

Le niveau de satisfaction peut être approché par un enrichissement du « Vu/Lu » dans lequel les personnes interrogées porteront sur des exemplaires des codes qui exprimeront l'ordre dans lequel se fait la lecture, ainsi qu'un niveau de satisfaction. Les limites à la sophistication de cette forme de questionnement sont celles de la complexité d'exploitation et d'interprétation d'une masse de données finalement peu maniables.

Les premiers destinataires des « Vu/Lu » furent les régies publicitaires et leurs clients, les annonceurs. Il s'agissait de démontrer l'intérêt de choisir une page, une rubrique, et dans quelles conditions. Très réticentes *a priori*, les rédactions redoutaient de voir ainsi sanctionner brutalement le travail de journaliste, qui peut être de qualité sans recueillir la plus grande adhésion des lecteurs. Il est toutefois de plus en plus fréquent que les rédacteurs en chef souhaitent accéder à ces études afin d'enrichir leur réflexion sur l'évolution du contenu.

Les études qualitatives

Les méthodes qualitatives, sans pouvoir prétendre à la même représentativité statistique, permettent d'aller plus loin dans l'appréciation des contenus par les lecteurs, ainsi que dans la recherche de l'interprétation de celle-ci. *A priori*, de nombreuses démarches sont possibles, à base d'entretiens semi-directifs ou totalement non directifs. Aujourd'hui la méthode la plus utilisée est celle des groupes.

Les lecteurs, ou les non-lecteurs, d'un titre sont réunis par petits groupes sous la houlette d'un animateur. La discussion peut être lancée sur le titre en général ou en le parcourant page à page. L'animateur cherche à recueillir le maximum de réactions et de notations de l'ensemble des membres du groupe. Il n'est pas rare que l'éditeur ou le directeur du titre soit lui-même présent afin d'entendre et de percevoir les réactions de « ses » lecteurs, ou de ceux qu'il ne réussit pas à attirer. Il peut être proposé au rédacteur en chef, à des journalistes, au responsable des ventes, voire à des annonceurs, d'être spectateurs de certains groupes, en utilisant par exemple l'artifice de glaces sans tain ou des moyens vidéo.

Les conditions dans lesquelles sont organisés les groupes varient d'un groupe à l'autre. Prisma Presse nourrit la préparation d'un nouveau titre en faisant organiser des groupes sur ses concurrents. En revanche il se refuse à faire travailler un groupe sur une idée ou un concept de titre. D'autres sont d'un avis différent. Le recours au groupe intervient le plus souvent à des moments cruciaux de la vie d'un titre (nouvelle formule, stagnation ou fléchissement des ventes, arrivée d'un concurrent puissant). Il est toutefois de plus en plus admis qu'organiser des groupes à échéance régulière est une bonne manière d'identifier tout signe de fatigue ou d'essoufflement d'un titre.

Le développement

L'existence de structures chargées du développement est l'apanage des groupes. Elles ont vocation à penser la stratégie dans la durée. Il leur revient de préparer les lancements, ainsi que de faire évoluer les différents titres et activités. Concrètement, le développement peut prendre des formes assez diversifiées, regroupé par exemple avec les études et recherches ou avec le marketing. Prisma Presse ou Mondadori France ont explicitement des directeurs du développement, alors que Hachette Filipacchi Médias n'avait pas cette fonction dans son organigramme.

Concevoir et lancer des titres

Le développement se voit confier plusieurs missions au service du management du groupe, de départements d'édition ou de titres. Dans son principe la notion de développement implique la préparation de l'avenir, avec la fourniture de tous les éléments clés qui doivent permettre au management de définir la stratégie à moyen terme. Dans les faits, il se concentre sur les lancements, les réorientations et rénovations de titres.

La phase initiale de toute création de titre est une combinaison d'analyse de marché, d'identification de segments mal couverts et d'écoute des projets, qu'ils soient issus du groupe ou apportés de l'extérieur. Les projets ne sont souvent qu'à l'état d'idées ou d'ébauches de concepts sur lesquels tout est à faire. Il peut s'agir aussi de titres déjà très avancés rédactionnellement, publicitairement, commercialement, dont leurs promoteurs n'ont pas les moyens d'assurer le lancement. Certains titres ont déjà été lancés mais leurs initiateurs sont incapables de les amener jusqu'à l'équilibre.

De l'idée au projet

Un idée intéressante est confiée à un responsable du développement qui l'analyse et réalise un premier tri en fonction de sa faisabilité, de sa cohérence avec la stratégie du groupe, de ses qualités intrinsèques. Des études pourront être lancées, un directeur artistique pourra travailler sur son traitement visuel, etc. Si l'idée se révèle prometteuse et réalisable, elle devient un projet pris en charge par une équipe. Cette dernière associe des spécialistes du rédactionnel, du visuel, du marketing, du management. Elle va discuter, nourrir, enrichir, faire évoluer, faire et refaire des préfigurations, les tester. Jusqu'au moment où le groupe va décider d'effectuer le lancement ou de passer la main.

La préparation du lancement conduit le développement à progressivement se dessaisir du futur titre au profit d'une cellule-titre qui de numéros zéro en tests va finalement lancer le numéro un. Dans cette dernière phase le développement assure un appui en matière d'études, de mise au point du calendrier de lancement, de communication, d'affinement des choix d'équipe (rédaction, direction artistique, etc.), et de sous-traitance (imprimeurs, atelier de photogravure, agence de publicité pour la promotion, gestionnaire de fichiers d'abonnements, etc.).

Il n'est pas rare que l'homme ou la femme « développement », qui accompagne le futur titre jusqu'à son lancement, en devienne le directeur ou l'éditeur. Il peut s'agir de question de personne, mais aussi de philosophie de groupe. Globalement le travail du développement sur un titre peut n'avoir duré que quelques mois, porté par une équipe légère comme chez Prisma Presse. Il peut aussi avoir pris plusieurs années. Un projet tel qu'*Eurêka*, lancé par Bayard, sera ainsi resté près d'une décennie, sous plusieurs formulations successives, au sein du développement.

Gestion décentralisée

Le développement de groupes de grande taille reposant sur la structure de l'entreprise réseau appelait une mutation profonde des méthodes de gestion, issues de la presse quotidienne ou des groupes de magazines à forte intégration verticale des décennies d'après-guerre (Hachette, Bayard ou Del Duca). L'impératif est en effet de voir une multiplicité de titres (parfois plusieurs dizaines) jouir d'une large autonomie tout en garantissant une cohérence d'ensemble en matière de trésorerie, de rentabilité, de capacités d'investissement, de développement, etc. Les années 1970 et 1980 verront progressivement se diffuser des méthodes de gestion issues des secteurs économiques les plus performants.

La montée des contrôleurs de gestion

Les équipes de direction vont resserrer les services de gestion du siège. Simultanément les outils de suivi et d'analyse de l'activité de chaque branche et titre se trouvent rationalisés, standardisés et simplifiés. Plus la gestion sera performante et plus ces outils seront simplifiés et peu nombreux. La définition des bons indicateurs devient ainsi tout à fait cruciale, puisque en dépendent la marge de manœuvre de chaque équipe sur le terrain et la capacité d'appréciation des directions stratégiques.

Il n'est donc plus question de descendre dans le détail de l'activité de chacun au travers d'une multiplicité de consignes, de réglementations ; seuls quelques chiffres décisifs et tableaux de bord sont collectés et nourris par une escouade de « jeunes loups », frais émoulus d'HEC, de l'ESCP, de l'ESSEC et consorts, les contrôleurs de gestion. Ils sont peu nombreux, suivent plusieurs titres en parallèle et acquièrent au fil des années une vision d'ensemble des performances de l'entreprise qui les prédispose à monter ensuite vers la direction de la gestion, la direction financière, le développement, etc.

Comptabilité analytique

La mise en place de véritables méthodes de comptabilité analytique fut souvent lente, erratique, suscitant de nombreuses résistances, surtout au sein des titres. L'orientation n'en est pas moins donnée. Chaque service fonctionnel facture précisément ses prestations. Il doit réaliser ses objectifs budgétaires. Il peut ainsi être comparé aux performances de prestataires externes. Chaque responsable de cellule-titre connaît ce que lui coûte la gestion d'un abonné par le service du groupe. Il compare et a le choix entre un service interne ou la sous-traitance. Les services internes sont ainsi contraints de s'adapter. Faute de quoi ils seront dissous ou cédés. Bayard Presse vendra, dans les années 1980, son informatique lourde à la Générale des Eaux, tout comme il se séparera, la décennie suivante, de ses imprimeries de Montrouge au profit du groupe Hachette.

Pour chaque cellule-titre la définition de ses objectifs et le suivi de leur réalisation s'opèrent selon un calendrier précis, donnant lieu à la publication de tableaux de bord, identiques pour l'ensemble des titres. Ces tableaux de bord sont l'occasion d'échanges et recadrages éventuels entre les responsables de titres et les contrôleurs de gestion. Toute coopération entre titres du même groupe ou toutes sollicitations de services et prestations se trouvent précisément facturées et imputées. Ces données sont entre les mains des éditeurs et directeurs de publication, mais aussi entre celles des rédacteurs en chef, des directeurs artistiques, chacun pouvant situer précisément ce qui a été réalisé et le chemin qui reste à parcourir pour atteindre ou dépasser ses objectifs.

Comparaison de comptes d'exploitation simplifiés

	Le Point	Télérama	Phosphore	Prima
Recettes :				
Ventes kiosques	27	29	26	42
Abonnements	37	40	59	8
Total diffusion	64	69	85	50
Pub. de marques	36	28	14	50
PA	–	2	0	
Total pub.	36	30	14	50
Prod. financiers	–	1	1	
Total des recettes	100	100	100	100
Coûts	12	9	10	11
Frais gén./groupe				
Rédaction	27	16	29	15
Fabrication	14	28	22,2	36
Régie	10	0	3,6	
Commercialisation	13	19	26,6	15 [1]
Diffusion	24	28	8,6	
Total des dépenses	100	100	100	77

1. Regroupe les frais de promotion, commercialisation et diffusion.

Sources : Éditeurs. Dans le cas de Prisma Presse, les chiffres sont des estimations à partir des éléments fournis par l'éditeur.

L'apport des groupes

Chaque année la presse magazine voit apparaître de nouveaux titres issus de l'initiative de quelques individus entreprenants dont certains peuvent constituer de véritables *success stories*. Il n'en reste pas moins que l'économie des magazines, et tout particulièrement celle des mensuels thématiques s'adressant à de véritables niches du marché, appelle leur intégration à une structure de groupe. Les magazines interviennent sur un marché extrêmement concurrentiel. Au sein de chaque famille de titres la compétition fait rage. La France compte aujourd'hui quatre news qui doivent faire face aux *pictures magazines* (et notamment *Paris Match*, toujours extrêmement offensif), mais aussi à certains magazines économiques plus généralistes tels que *Le Nouvel Économiste* et *Challenges*, alors même que les suppléments des quotidiens tentent de regagner du terrain auprès du même lectorat. Les hebdomadaires et quinzomadaires de télévision, à la veille d'une nouvelle grande mutation de l'audiovisuel, doivent faire face à l'offre des sites Web et sont contraints de rechercher des niches sur fond de diffusion en retrait pour les leaders de la famille. Les féminins, la presse jeunes et depuis peu les magazines seniors voient se succéder créations et repositionnements, bouleversant des hiérarchies qui semblaient solidement établies.

Vision stratégique d'ensemble

La dimension du groupe permet en premier lieu d'accéder à une vision stratégique d'ensemble, nationale et le plus souvent internationale. Les groupes sont les seuls à pouvoir croiser et synthétiser un très grand nombre d'informations sur les titres, les diffusions, le comportement des annonceurs, les partenariats potentiels et bien sûr les lecteurs. Ils ont les moyens et peuvent amortir l'investissement dans des études lourdes concernant les évolutions sociales, comme les comportements des consommateurs. Ils peuvent solliciter les expertises de nombreux spécialistes capables de décrypter des conjonctures complexes ou de proposer des orientations prospectives. Les plus grands se dotent de véritables cellules de veille.

La dimension du groupe élargit également l'observation des différentes publications, des idées de nouveaux titres, notamment au niveau international. Un projet balbutiant et inabouti en Amérique du Nord pourra être repris et développé avec succès en Europe. Bayard Presse découvrira dans la communauté catholique canadienne une vague ébauche de publication de fiches liturgiques et en fera un concept à succès en France sous le titre de *Prions en église*.

Les groupes apportent, surtout, une capacité d'initiative et d'intervention afin d'investir plus vite les créneaux qu'ils identifient comme porteurs. Cette capacité s'exprime sur leurs marchés d'origine, mais aussi dans leur développement international. Lorsque Grüner & Jahr crée, en 1978, sa filiale Prisma Presse en

France, celle-ci va bénéficier d'un volume de capitaux et de conditions de retour sur investissement qui vont lui permettre de maintenir un rythme de création de titres extrêmement élevé (un tous les dix-huit mois). Son manager, Axel Ganz, pourra appliquer une politique de contenus, fondée sur une forte densité d'informations à la page, de vente en kiosque à prix bas, quelles que soient les réticences des annonceurs. Le rachat du groupe de magazines nord-américain Diamandis Communications (éditeur de *Woman's Day*, de *Car and Driver*, etc.) par Hachette, en 1988, aurait tourné au fiasco dès 1989, lors du retournement du marché publicitaire, sans la taille et l'internationalisation du groupe français. Celles-ci lui ont permis de retarder le retour sur investissement et de réaliser les réaménagements nécessaires dans le groupe nord-américain, avant que celui-ci ne reparte avec vigueur avec une conjoncture publicitaire plus favorable.

Pression sur les coûts

Le développement de la structure d'entreprise réseau, combiné à la comptabilité analytique, conduit les groupes à « serrer » au maximum les coûts de réalisation de leurs titres. Les deux premières années de l'activité d'Emap au sein des anciens titres des groupes Hersant et Éditions Mondiales illustrent bien cette chasse aux économies, cette obsession de l'élimination de tout ce qui peut constituer un « excès de gras » dans les cellules-titres ou dans l'organisation. Tout est passé en revue : la taille des équipes, l'organisation du travail, les budgets de piges, les loyers et l'aménagement des locaux, avec une renégociation des contrats avec chaque sous-traitant (photograveurs, imprimeurs, routeurs, etc.). Le résultat ne fut pas négligeable puisqu'il permit à la filiale française du groupe britannique de dégager une marge plus substantielle.

Au-delà de la rigueur de gestion, des synergies entre les titres et des effets de taille peuvent apporter un bonus sous forme de ristournes sur le prix du papier ou de conditions avantageuses auprès des imprimeurs, des cabinets d'études ou des supports de promotion (affichage, échanges avec les radios, partenariats avec les télévisions, etc.). Sur le plan éditorial les groupes seront parfois les seuls à pouvoir amortir sur plusieurs de leurs titres certains reportages ou enquêtes lourdes, tout comme l'achat des photos exclusives qui jouent un rôle essentiel dans la concurrence que se livrent aujourd'hui les *pictures magazines* et la presse people.

Force de frappe sur le marché publicitaire

Face à un marché publicitaire dominé par des médias audiovisuels qui réalisent des audiences considérables et dans lequel les centrales d'achat jouent un rôle sans cesse renforcé, notamment pour l'accès aux budgets colossaux de certains grands annonceurs de dimension mondiale, les très grands groupes de presse magazine bénéficient d'un atout particulier avec la maîtrise de grandes régies. Lagardère, Prisma Presse ou Mondadori ont leur propre régie. Les groupes plus petits et les titres indépendants n'ont d'autre solution que de s'adresser à ces dernières. Bayard Presse tout comme *Le Point* ont fait le choix de Lagardère Publicité.

Chacun des titres indépendants ou des groupes qui rejoignent la régie d'un très grand groupe garde bien sûr son indépendance et bénéficie de garanties de confidentialité de la part de l'équipe de commerciaux et de responsables d'études chargée de valoriser son espace publicitaire. Il n'empêche que le propriétaire de la régie se trouve en meilleure position pour lancer des initiatives en termes de couplage (*Paris Match-Le Point* par exemple) ou pour le développement d'études visant le lectorat d'un segment du marché.

Interdéco devenu Lagardère Publicité, par exemple, réalise tous les deux ans une étude très lourde, « SIMM », comportant quelque 12 000 « entretiens » et croisant les caractéristiques sociodémographiques, les pratiques de consommation, les comportements médias, les caractéristiques socioculturelles. Le prix d'une telle étude (de l'ordre de 250 000 euros) ne serait à la portée d'aucun titre indépendant ou de groupes comme Bayard Presse ou *Le Point*. Pour Lagardère Active Médias les coûts sont partagés avec ses partenaires au sein de la régie. Les études réalisées pour le compte de la presse jeunes de Bayard Presse auront inévitablement des retombées indirectes sur les publications enfantines de Disney Hachette Presse. Enfin, les années où la régie ne réalise pas SIMM Scanner, celle-ci propose des études *ad hoc* aux différentes familles de titres (seniors, jeunes, actualité, etc.) qui permettent de mieux cerner la connaissance et le comportement de leur public. Là encore les coûts se trouvent partagés entre les différents partenaires.

L'enjeu pour les groupes de magazines est de développer, vis-à-vis des centrales d'achat et des annonceurs, des outils de connaissance du lectorat et du comportement de celui-ci qui valorisent ce support face à l'audiovisuel et Internet. Deux directions s'imposent ici : la sélectivité des « cibles » que permet le magazine là où la télévision ne garantit que la masse ; l'efficacité du contact, en montrant dans quelles conditions et avec quel impact sur les comportements d'achats les lecteurs vont effectivement rencontrer un message dans une ambiance favorable à la marque ou au produit. À cet égard les groupes ont davantage de capacités à faire pression afin que leurs préoccupations soient prises en compte, qu'il s'agisse de la méthodologie, des questions posées ou du mode de valorisation des résultats de l'étude d'audience AEPM.

Quant à l'audience proprement dite, les groupes sont capables de réaliser des performances très significatives sur des segments de marchés, aussi bien par le développement de gamme de titres que par l'internationalisation. Bayard Presse comme Milan peuvent ainsi vendre une audience de parents et d'enfants allant de dix-huit mois à l'âge du bac. Quant à l'éditeur de *Elle*, il est le seul à pouvoir proposer un support bénéficiant de quatre millions d'acheteuses, au profil bien délimité, sur toute la planète.

Puissance de vente

Quelle que soit la forme de vente (kiosque ou abonnement), les groupes bénéficient d'un atout particulier sous la forme d'une accumulation d'informations. Ces informations sur les points de vente et le public qui les fréquente, tout comme sur les abonnés et une série de leurs caractéristiques (sexe, âge, structure familiale, localisation, pôles d'intérêt, etc.) sont tout à fait stratégiques et permettent de mettre au point les orientations commerciales. Elles donnent également le maximum d'efficacité aux outils de promotion.

Prisma Presse constitue aujourd'hui le meilleur exemple de la maîtrise de la vente en kiosque. Les éléments clés de celle-ci ont permis de mettre au point un programme informatique à la disposition de chacun des éditeurs des titres du groupe, qui peuvent ainsi anticiper ce que seront les réactions à une couverture, un dossier, une enquête, un événement. Le volume d'exemplaires à tirer pourra donc être pronostiqué, ainsi que les quantités nécessaires à chaque point de vente. Concrètement, le premier résultat est une limitation des invendus, sans pour autant prendre le risque de créer l'insatisfaction des lecteurs ou des kiosquiers faute d'avoir suffisamment alimenté ceux-ci. La connaissance du réseau de vente passe par des contacts directs avec ceux qui vendent au jour le jour les magazines et les traiteront d'autant mieux en termes de mise en place, voire de préconisation aux acheteurs potentiels. L'animation du réseau de vente conduit aussi à offrir des gratifications, même symboliques, aux vendeurs les plus efficaces.

La vente par abonnement, en permettant la constitution de fichiers, offre autant de moyens pour informer le lecteur ou s'informer sur celui-ci. Bayard Presse a ainsi constitué des « grands jurys de lecteurs » : ces volontaires expriment leur opinion sur le titre auquel ils sont abonnés. Outre l'exploitation de ces réactions au contenu, cette formule permet de personnaliser la relation à l'abonné, en lui donnant le sentiment d'être actif dans la relation à son titre. Plus classique, à chaque réabonnement il est possible d'interroger l'abonné sur ses intentions et son degré de satisfaction.

Les groupes qui axent leur commercialisation sur l'abonnement peuvent croiser leurs différents fichiers d'abonnés en fonction des caractéristiques qu'ils connaissent de leurs lecteurs. Ils peuvent ainsi identifier des « prospects », qui auront d'autant plus de chances de répondre à un mailing d'abonnement pour un titre qu'ils ne lisent pas encore ou qui est en cours de lancement. Bayard Presse suit l'âge de ses jeunes lecteurs et propose le bon titre au bon moment afin de garder ceux-ci, de *Popi* à *Phosphore* en passant par *Les Belles Histoires*, *J'aime lire*, etc. Ce suivi est crucial dans un segment du marché extrêmement compétitif et un peu encombré, si l'on en juge par la surcharge des rayons consacrés à ces titres dans les points de vente.

Ici aussi une approche visant à personnaliser la relation avec les lecteurs se développe. Bayard gère ainsi des fichiers de familles qui permettent chaque année de faire un bilan de leurs abonnements, en les gratifiant de chèques ristourne *a posteriori* ou de rabais sur des abonnements à venir. Cette formule constitue une forme d'encouragement aux abonnés en fonction de leur ancienneté ou du nombre d'abonnements pris. Il va de soi que des informations peuvent être envoyées à ces familles afin de les préparer à des évolutions sur un titre ou d'annoncer un lancement dans un registre qui les intéresse.

Diversification

Face à la question cruciale d'une diversification de l'activité ou des titres vers les différents supports numériques (Internet et les mobiles), les groupes ont la possibilité d'identifier et d'investir simultanément dans tout un éventail de directions. Dans un cas, il s'agira de transférer un type de contenu (information pratique, à faible valeur ajoutée) d'un support vers l'autre, quitte à réduire voire abandonner le support imprimé. Pour d'autres titres, il sera plutôt question de valoriser le domaine, le public, l'image de ceux-ci (la « marque ») selon des formes de récits ou de contenus complémentaires (audio, vidéo, dialogue par le texte, etc.). Dans d'autres situations, l'approche pourra consister à repartir d'un public (une « clientèle ») connu, fidélisé, pour lui proposer un contenu familier pour le groupe, mais sous une autre appellation (*pure player*) ou forme (portail). Les différentes démarches, où sont susceptibles de cohabiter complémentarité et concurrence, peuvent découler de manières différentes de pratiquer le « métier », en fonction d'histoires de groupes ou de domaines d'excellences spécifiques. Il peut s'agir également de ne laisser aucune option de côté, dans une volonté de tenir un maximum d'espace sur le marché comme de faire face à une situation où un haut niveau d'incertitude prévaut.

Le « métier »

Au-delà de la mise en œuvre des méthodes propres à l'ensemble des magazines, chaque groupe est détenteur d'un savoir-faire particulier : son métier. Il est le produit d'une histoire, d'une expérience, des qualités de quelques hommes. Il est difficile de comprendre la réussite de Prisma Presse sans tenir compte de la personnalité d'Axel Ganz. Le métier est la clé et le fruit de la réussite de chacun des groupes.

Le métier de chaque groupe est fait de l'entrecroisement de points forts parmi lesquels figurent la périodicité des titres, le domaine éditorial, les rapports entre rédaction et publicité, les formes de commercialisation, l'accent mis sur la création de titres ou la valorisation de titres acquis. C'est ainsi que Lagardère est présent dans la presse féminine, la presse de télévision, le *pictures magazine*, la presse jeunes, avec des titres souvent repris. Les domaines couverts sont larges et pourtant il ne saurait occuper tous les registres existants. Le groupe appuie sa stratégie sur des titres phares, des marques. L'approche du marché publicitaire est très soignée et occupe une place très importante dans la stratégie du groupe. Son développement international joue un rôle très important. La vente en kiosque est dominante. Prisma Presse est surtout présent dans les féminins, les magazines people, les magazines sur l'économie. La vente se fait essentiellement en kiosque. La majorité des titres a été créée par le groupe, qui pratique un marketing très précis et très spécifique. Les points fort de Bayard Presse sont la presse jeunes, le religieux, et la presse seniors. Le groupe a créé la grande majorité de ses titres. Il vend essentiellement par abonnement.

Le métier ou la personnalité des groupes peut être plus ou moins fort et il est vrai que Havas ou Emap France apparaissaient davantage comme des conglomérats où cohabitaient des titres ou d'anciens groupes acquis au fil des années. Le métier des groupes s'exprime dans leur manière de valoriser une idée de titre ou dans leur manière de l'orienter et le travailler après une acquisition.

Lorsque les hommes passent d'un groupe à l'autre, quels que soient leur bagage et leur compétence, il est frappant de voir qu'ils vont devoir apprendre et s'adapter au métier du groupe qui les accueille.

Si le métier est fait de domaines de compétence, il comporte aussi, en creux, des faiblesses qui tracent des limites au-delà desquelles il lui est risqué de s'aventurer. Bayard Presse a buté sur la vente en kiosque, où il ratera le premier lancement de *Babar*. Ses acquisitions du *Chasseur français*, de *Bonne Soirée* ou *d'Enfant Magazine* se sont faites dans la douleur. Prisma Presse rencontre de grandes difficultés à relancer *VSD* qui l'amène sur le terrain de l'actualité jusque-là ignoré par ce groupe, en même temps qu'il le confronte à la périodicité hebdomadaire qui ne permet pas de fignoler l'écriture et la présentation comme le groupe peut le faire avec ses mensuels. Tout groupe en se développant se voit obligé d'élargir ses points forts. Il n'en reste pas moins qu'il doit être attentif à préserver ce qui est à l'origine de son métier et les ressorts de celui-ci.

III / Des « industriels » de la communication

La réalité des opérateurs — groupes et entreprises éditrices de magazines — est dominée par la concentration, qui ne cesse de se renforcer. Les plus grands associent aux magazines l'ensemble des médias (radio, télévision, Internet, mobile), l'édition de contenus culturels (livre, musique, vidéo) ainsi que les services (formation, salons, organisation d'événements, etc.). Le leader mondial est à l'origine l'éditeur de *Life*, de *Time* et de *Fortune*. Il s'agit de Time Warner, également présent dans différents métiers de la télévision de HBO à CNN, comme dans ceux de l'Internet avec AOL. En même temps, ces groupes ont une activité internationale, planétaire pour certains d'entre eux, qu'il s'agisse de Bertelsmann, Lagardère, News International, VNU ou Fininvest Mondadori.

Dans la course à la taille, les leaders sont nord-américains, avec Time Warner et Disney, dont l'activité en presse magazine est marginale. Pour l'internationalisation en revanche, qu'il s'agisse de magazines, de livres, de presse technique et professionnelle ou de distribution de publications, les Européens de l'Ouest sont beaucoup plus avancés, confrontés à l'exiguïté de leurs marché nationaux. Comme ce fut également le cas pour Rupert Murdoch (News International) sur le marché australien, puis sur le marché britannique.

La modernité du métier de presse magazine s'illustre dans la vivacité des structurations et restructurations qui se sont menées à un rythme extrêmement soutenu : mégafusion de Time Inc. et Warner Bros (1989), puis de Turner (1996) et AOL, revente de Time Warner Book à Lagardère ; fusion de Reed et Elsevier (1993). Des rachats spectaculaires de groupes entiers sont finalisés en Amérique du Nord, en Europe ou au Japon par Bertelsmann, Lagardère, News International ou Fininvest. Aucune situation n'est figée comme le montre la construction rapide de groupes tels que Vivendi Universal ou Emap, qui exploseront dans leur envol, Vivendi Publishing se voyant démantelé et dispersé en multiples segments ; ou seront purement et simplement revendus (Emap États-Unis, Emap France, Emap Angleterre, avant la dissolution du groupe). Au cours de la dernière décennie, la catégorie des groupes moyens français a quasiment disparu ou perdu son indépendance : absorption d'Excelsior par Emap France et rachat de ce dernier par Fininvest Mondadori ; rachat de Milan par Bayard Presse, ainsi que de PVC (Publications de la Vie catholique) par Le Monde ; entrée significative de Lagardère dans le capital du groupe Marie-Claire.

Au terme de ces mouvements, trois grandes catégories d'opérateurs se font jour dans la presse magazine. Les premiers sont plurimédias et internationalisés, leur puissance capitalistique leur donne des moyens d'investissement considérables pour développer un domaine ou se renforcer au gré d'acquisitions. Les deuxièmes sont des groupes moyens (au capital encore au moins pour partie patrimonial) pour lesquels l'édition de magazines est une activité importante, voire dominante. Les troisièmes sont des éditeurs centrés sur quelques domaines, souvent très spécialisés, avec un fort degré de segmentation et un modèle économique très serré.

Des groupes de communication mondialisés

Une poignée de groupes ont dès le départ associé magazines, livre et impression. Pratiquant une autonomie complète entre leurs différentes activités d'édition, de fabrication et de distribution (messageries, clubs de livres, etc.), ils ont su aborder la radio, la télévision par câble, la production audiovisuelle et cinématographique, l'édition phonographique, Internet et le mobile tout en s'internationalisant largement. L'addition de ces différentes composantes, doublée d'un capital financiarisé, en fait souvent des acteurs très puissants, flexibles, respectant scrupuleusement la dynamique et la spécificité de chaque métier, service ou média.

Time Warner

Time Inc., éditeur de quelque vingt-trois magazines dont les prestigieux *Life*, *Time*, *Fortune*, *Money*, *People*, avait déjà largement engagé sa diversification audiovisuelle avant sa fusion avec Warner en mars 1989, puisqu'il était déjà numéro deux de l'exploitation de réseaux câblés et numéro un du *pay per view* avec HBO. En 2001, Time Warner fusionnait avec un acteur en pleine ascension de l'Internet, AOL, qui semblait alors prendre l'ascendant sur la vieille maison de papier et de médias diffusés. Le déclin du fournisseur d'accès, notamment face aux moteurs de recherche (Google), devait conduire à réorganiser le groupe et ne plus faire de celui-ci que l'une des activités du groupe. En 2003 et 2006, le groupe cédait successivement ses activités d'édition musicale (Warner Music) et de livres (Time Warner Book), pour cette dernière à Lagardère.

Largement internationalisé dans son activité audiovisuelle (exploitation de réseaux câblés, diffusion et production de programme, cinéma) comme dans l'Internet (AOL), son métier d'éditeur de magazines est, lui, longtemps resté nord-américain. En 2001, le groupe va réussir une implantation significative en Europe avec le rachat d'IPC (ancienne filiale magazine de Reed Elsevier). Il se retrouve ainsi à la tête d'une centaine de titres, répartis dans toute l'Europe, avec nombre de *joint ventures* (notamment avec le groupe Marie-Claire, en France et en Grande-Bretagne : *Famili, Avantages, Look*, édition de *Marie-Claire* outre-Manche, etc.). L'objectif affiché du groupe est de faire progresser son chiffre d'affairess à l'international de 20 % à 50 %.

Bertelsmann

Fondé en 1835, Bertelsmann AG est issu d'une vieille maison d'édition de livres (spécialisée dans les bibles notamment). Ses dimensions resteront modestes jusqu'à la fin des années 1960. En 1963, l'éditeur de livres rachetait UFA, dernier vestige à l'Ouest de la production cinématographique allemande d'avant guerre. En 1969, un pas décisif est franchi avec la prise de contrôle de l'éditeur de presse magazine fondé par les familles Grüner et Jahr, qui restent actionnaires minoritaires. Dans les années 1980, les très gros rachats à l'étranger vont se multiplier avec, notamment en Amérique du Nord, Bantam Doubleday Dell (livre) et RCA (édition musicale). En 1987, allié à la CLT et à la *Frankfurter Allgemeine Zeitung*, le groupe se lance dans la télévision avec la création de RTL Plus. Poursuivant son développement dans la radio et la télévision, dans un large segment de l'Europe du Nord, en 2000 est fondé, en partenariat avec Albert Frère et le groupe Pearson, RTL Group (RTL et M6 en France). La revente des parts d'Albert Frère conduira le groupe à précipiter la cession de ses activités musicales (BMG Entertainment) afin de renforcer sa présence dans cette activité à très forte rentabilité.

Numéro un européen de la communication, employant 60 000 personnes, Bertelsmann a vu son capital familial transformé en fondation en 1977. Le groupe est organisé comme une véritable holding à laquelle sont rattachées autant de directions que de métiers, jouissant d'une large indépendance, soit : le livre (Bertelsmann Buch AG) avec une large activité de club ; l'imprimerie et les services (Arvato) ; l'audiovisuel (RTL Group) ; le multimédia ; et bien sûr la presse magazine avec Grüner & Jahr. Son activité est largement internationalisée, puisque le groupe réalise 65 % de son chiffre d'affaires à l'étranger.

En France, l'activité de Grüner & Jahr se répartit entre deux sociétés d'inégale importance, Prisma Presse, la plus importante et la plus ancienne (1980), et Motor Presse France. Prisma Presse, numéro deux de la presse magazine, a été fondée de toutes pièces, essentiellement à partir de créations de titres dans ses dix premières années sous la direction d'Axel Ganz. Le groupe couvre un large éventail de domaines parmi lesquels : les programmes de télévision (*Télé Loisirs, Télé 2 semaines, TV grandes chaînes*), les féminins (*Femme Actuelle, Prima, Bien dans ma vie, Femmes, Cuisine Actuelle*, etc.), le people (*Voici, Gala*), l'actualité (*VSD*), l'économie (*Capital, Management*), les titres générationnels (*Géo Ado*), les centres d'intérêt (*Géo, National Geographic, Ça m'intéresse*). Pour chacun de ces domaines, avec l'appui de G+J Network, ont été développés les sites de chaque titre et quelques *pure players* (cesoirTV.com, etc.). Motor Presse de son côté est un groupe très spécialisé dans la presse auto et moto (*L'Automobile Magazine, Occasions Mag, Moto Journal*, etc.), qui s'ouvre progressivement au domaine des loisirs (*Jogging, Camping Caravaning, Bateaux, Golf Magazine*, etc.).

Lagardère

Hachette est également une vieille maison, créée en 1826, combinant au départ la vente (notamment la concession de la commercialisation des livres dans les gares), la distribution, puis l'édition de livres. Son entrée dans la presse se produit en 1887 au travers d'une activité de messagerie de presse, dans laquelle elle sera quasiment en position de monopole à la veille de la Seconde Guerre mondiale, ce qui lui vaudra d'être écartée de cette activité à la Libération. Revenu progressivement dans son activité de distribution de presse avec le vote de la loi Bichet (1947), comme sous-traitant des NMPP, le groupe va s'orienter progressivement vers l'édition de presse, en faisant son entrée dans la presse quotidienne avec le rachat de *France Soir* (jusqu'à 1976), en développant surtout un ensemble de titres de presse magazine (féminins, actualité, people, etc.). Un tournant va s'opérer en 1980 avec l'arrivée conjointe dans le capital de Jean-Luc Lagardère (Matra) et de Daniel Filipacchi (*Salut, Lui*, etc.). Il en découlera une intégration des titres du second et une alliance avec Matra qui aboutira à la fusion des deux entités en 1996, au sein de Lagardère Groupe.

Matra apportait deux quotidiens locaux, *Les Dernières Nouvelles d'Alsace* et *L'Écho républicain*, ainsi qu'une précieuse participation dans Europe 1. En 1986, le groupe prend le contrôle de la radio en rachetant pour 500 millions de francs (76,2 millions d'euros) les parts de l'État. Europe 1 Communication constitue alors la tête de pont du groupe dans l'audiovisuel, au terme d'échecs répétés dans l'achat de TF1 en 1987, puis dans le redressement de La 5, qui fera faillite en 1992. Le groupe Matra Hachette devra combler, à ce titre, une dette de 3 milliards de francs (450 millions d'euros), l'obligeant à une réorganisation de sa holding et de son capital, avec une montée en puissance d'investisseurs financiers et institutionnels.

En 1988, Matra Hachette avait franchi une étape décisive en achetant aux États-Unis le numéro un de l'encyclopédie, Grollier, ainsi que Diamandis Communications, éditeur de magazines (*Woman's Day*, *Car and Driver*, etc.). Au cours des années 2000, Lagardère groupe échouera dans sa tentative de profiter de l'éclatement de Vivendi Publishing avec le rachat d'Editis. Les autorités européennes refuseront une opération qui plaçait le groupe en excès de position dominante sur le secteur du livre. Le fruit de la revente d'Editis, ainsi que les moyens capitalistiques mobilisés permettront au groupe des acquisitions cruciales à l'international en presse magazine ainsi que dans le livre (Time Warner Book Publishing), de même que dans la télévision en France (Canal +).

À la fin de la décennie 2000, le secteur communication et divertissement de Lagardère le place dans une position d'acteur majeur sur le marché français, significatif en Europe et dans le monde, au moins pour certains des quatre métiers qu'il développe désormais, chacun se trouvant regroupé dans l'une des branches de la holding, au côté du pôle industriel que constitue la participation dans EADS (aéronautique).

Lagardère Publishing (ex-Hachette Livre) est donc l'une des deux activités d'origine du groupe, celui-ci s'étant employé à racheter de nombreuses maisons d'édition en France (Stock, Fayard, J.-C. Lattès, Grasset, etc.) ou dans le monde. Parmi les innovations notables dans la démocratisation du livre en France, Hachette devait lancer et développer « Livre de poche ». En 2006, le groupe se hisse au troisième rang mondial avec la reprise de Time Warner Book au prix de 449 millions d'euros.

Lagardère Service (ex-Hachette Distribution Service) regroupe trois métiers : la distribution proprement dite de livres et de presse, la vente de presse et de livres dans les réseaux de transports (sous la marque Relay en France), la commercialisation de produits culturels (notamment Virgin). Fondement du groupe (les « librairies Hachette »), la distribution et la commercialisation du livre et de la presse requièrent des structures et un savoir-faire très spécifiques, en même temps que des investissements à amortissement très lents. Cette activité a été très largement internationalisée avec des pays phares comme l'Amérique du Nord et l'Espagne, en même temps qu'il devait profiter des bouleversements que connurent ces structures dans l'Europe de l'Est de l'après-1989. Parmi les points forts du groupe et les très fortes interrogations, il faut souligner la réorganisation des NMPP, qui ne peut pas être sans effet, tant sur ses méthodes de travail que sur sa rémunération.

Lagardère Sports est l'activité la plus récente du groupe, manifestation du changement d'homme et de génération à la tête de celui-ci. Faisant l'objet d'investissements significatifs et d'une recherche constante des opportunités, cette stratégie s'appuie sur deux activités que sont d'un côté la gestion des droits marketing et audiovisuels des sports, et de l'autre l'organisation d'événements sportifs (tournois ATP de tennis, compétitions de cyclisme, etc.). Une connexion se fait ici avec certaines prises de position dans le domaine des médias, telles que l'acquisition de la société Internet Newsweb, dont le site Boursier.com est rattaché à Lagardère Sports.

La création de Lagardère Active Media en 2007 correspondait à la volonté de regrouper au sein d'une même unité la presse écrite, l'audiovisuel et le numérique, avec un discours en faveur de la recherche de synergies entre ceux-ci. Le secteur presse écrite (ex-Hachette Filipacchi Médias) est dominé par les magazines, même si le groupe revient périodiquement vers les quotidiens. Après la cession de ses titres régionaux, il ne reste aujourd'hui que des participations minoritaires au sein des éditions Amaury et du Monde. En matière de magazines, le portefeuille a été recentré autour de quelques pôles : programmes de télévision (*Télé 7 Jours* et *TV Hebdo*), féminins (*Elle, Elle Déco, Psychologie, Woman's Day*, etc.), people (*France Dimanche, Ici Paris, Public*), actualité (*Paris Match*), générationnels (la gamme proposée par Disney Hachette Presse : *Le Journal de Mickey, Picsou Magazine, Winnie*, etc.), centres d'intérêt (*Première, Car and Driver*, etc.). L'activité radio est dominée par Europe 1 et les thématiques musicales. En télévision, le développement de thématiques musicales (Mezzo, Virgin 17) et jeunes (Filles TV, Tiji, Gulli) est sans doute modeste au regard de l'enjeu que constitue l'achat de 20 % de Canal + (525 millions d'euros en plus de la participation dans Canalsat). Dans l'Internet, la principale acquisition est celle de Doctissimo, qui ne saurait cependant avoir de sens sans l'intégration de plusieurs sociétés opérationnelles (Topnet, Newsweb), constituant le socle de Lagardère Digital France, chargé de développer les sites d'information au côté des principaux titres du groupe, de concevoir divers *pure players* et portails.

En matière d'internationalisation, Lagardère poursuit l'objectif de dépasser les 50 % de chiffre d'affaires réalisé à l'étranger. En matière de magazine, un recentrage opéré en 2007 et 2008 a conduit à transférer des directions opérationnelles de *Elle* ou de *Première* en licence ou *joint venture* (en position minoritaire) dans des pays où le groupe occupe une position un peu secondaire. En revanche, partout où il figure parmi les leaders, la volonté est de tenir ou renforcer la présence en s'appuyant sur les constructions de filiales (Espagne) et les acquisitions souvent coûteuses (Diamandis, Fujingaho, Rusconi).

Fininvest-Mondadori

Fininvest est la holding financière de Silvio Berlusconi qui contrôle ses activités dans la télévision en Italie (Mediaset) et en Espagne (Telecinco). En 1991, elle acquiert la majorité du capital de la vieille maison d'édition de livres et de presse (créée en 1907) Mondadori. En Italie, Mondadori publie une cinquantaine de titres de magazines, dont les principaux sont *Panorama, Donna Moderna, Grazia, Cosmopolitan, Economy, TV Sorrisi e Canzoni*. Ils représenteraient de l'ordre de 38 % du chiffre d'affaires du secteur.

En juillet 2006, Mondadori devient le nouveau propriétaire d'un groupe constitué, en moins d'une décennie, par le britannique Emap, fruit du rachat des anciennes Éditions Mondiales et de la filiale magazines de Robert Hersant. Au fil des années, le groupe saisit toutes les opportunités de reprises de titres (*Chasseur français, Télé Star, Pleine Vie*), et même de groupe, avec Excelsior (*Sciences et Vie, Biba, Action Auto Moto*, etc.). Emap France sera mis en vente par sa maison mère, en juillet 2006, faute de correspondre à ses nouvelles priorités stratégiques.

Rebaptisé Mondadori France, le numéro trois de la presse magazine se recentre et réorganise ses activités autour de quatre pôles : la presse de télévision (*Télé poche* et *Télé star*), les féminins (*Modes & Travaux, Biba, Closer, Pleine Vie*, etc.), les hommes (*Auto-journal, Auto Plus, FHM*, etc.), le luxe (à développer autour et à partir de l'édition française de *Grazia*). Pour chacun de ces pôles, des sites et services sont développés à la fois sur le Net et souvent pour le mobile, à partir des titres de magazines, mais également de *pure players*, en prenant appui sur Mondadori Digital, la filiale spécialisée du groupe. L'histoire même de la Fininvest explique certainement le parti de valoriser chaque média à partir de structures et d'équipes propres, plutôt que de reprendre le credo de la polyvalence ou du bimédia.

Des groupes à forte composante de magazines

Bayard Presse

L'origine de Bayard Presse, d'abord baptisé Maison de la bonne presse, est confessionnelle. Son premier titre, *Le Pèlerin*, apparaît en 1873, suivi du quotidien *La Croix*, deux titres qui figurent toujours dans la panoplie des publications éditées par le groupe, propriété d'un ordre religieux, les assomptionnistes. L'appellation actuelle du groupe et sa modernisation vont intervenir à partir du milieu des années 1960. Il engage alors le renouvellement de sa presse jeunes qu'il transforme en une gamme complète de presse éducative. Il invente également la thématique senior en magazine. Dans les années 1980, il engage le développement d'un secteur d'édition de livres, qui deviendra aussi important que sa presse magazine. En 2005, Bayard Presse rachète son principal concurrent dans la presse jeunes, Milan presse. Celui-ci a une forte compétence dans les magazines de territoires (*Pyrénées Magazine, Alpes Magazine*, etc.), ainsi que dans le livre, notamment jeunesse (collection des Essentiels). Enfin, après bien des déboires en matière d'audiovisuel, le groupe réorganise en 2008 son offre sur le Net.

Depuis la fin des années 1990, le management du groupe adopte une organisation à partir de chaque grand domaine de contenus : actualité, religieux, jeune, senior. Chacune de ces entités aura pour mission de développer son activité par l'édition de collections de livres, le développement de sites d'information, voire de « plates-formes numériques » (pour l'enfant par exemple), et enfin la presse écrite. Le rachat de la totalité des parts de son ancienne filiale BPI (Bayard Presse International) a conduit à transférer à chaque direction de domaine de contenus la direction de sa stratégie sur les différents continents. Confrontées à une question de taille, celles-ci ont tendance à rechercher des partenaires, notamment Roularta pour les seniors et la jeunesse en Belgique, en Hollande et surtout en Allemagne, avec le rachat des vingt et un magazines du groupe Weltbild.

En France, Bayard jeune publie vingt-six titres dont les plus connus sont *Pomme d'Api, J'aime Lire, Popi, Astrapi, Phosphore*, etc. Dans le segment actualité, au côté du quotidien *La Croix*, le groupe publie *Le Pèlerin*. Le domaine senior comprend surtout *Notre Temps*, qui a donné lieu à une multitude de déclinaisons du même concept à l'international. En matière de publications religieuses, le groupe a développé des formules innovantes telles que *Prions en Église*, également largement internationalisé, ainsi que tout un ensemble de publications de communautés paroissiales, beaucoup plus classiques, au travers d'une filiale spécifique, Bayard Service Édition.

Roularta

Premier groupe de presse magazine belge, Roularta Média Group est créé en 1954 par Willy de Nolf, à partir d'une activité initiale d'imprimeur. Rick de Nolf, son fils, qui dirige aujourd'hui un groupe dont le capital reste en majorité familial, poursuit l'internationalisation de celui-ci, ainsi que sa diversification. En Belgique, le groupe est présent dans une très grande variété de familles de magazines parmi lesquelles : l'actualité (*Knack*, *Le Vif-L'Express*), l'économie (*Trends*, *Cash !*, *Bizz*, etc.), les programmes de télévision (*Télépro*), le sport (*Sport Foot Magazine*), le people (*Royals*, *Point de vue*), les seniors (*Plus Magazine*), les jeunes (*Pippo*, *Pompoen*, *Babar*). Sur ces deux derniers segments, Roularta est engagé dans un partenariat international avec Bayard Presse, en compagnie duquel il a déjà lancé des titres en Allemagne, aux Pays-Bas, en Norvège ainsi qu'en Espagne. Il a également de fortes positions dans la presse professionnelle, la presse régionale et locale, un gratuit du dimanche, etc. Dans la télévision, le groupe est aussi bien présent dans la chaîne généraliste flamande VTM que dans des chaînes spécialisées en économie en Flandre et en Wallonie (Kanaal Z et Canal Z), en musique (JIMtv), en divertissement (KANAALTWEE). À noter, sa participation au projet de télévision locale STM dans la région Nord-Pas-de-Calais.

Créé en 2006, suite au rachat du groupe L'Express-L'Expansion, le groupe Express-Roularta rassemble les principales acquisitions sur le marché français de Rick de Nolf. C'est dire que le groupe est à la fois présent dans l'actualité avec *L'Express*, les féminins aussi bien généralistes (*Atmosphères*) que thématiques (*Maison française*, *Maison Côté Sud*, etc.), les people (*Point de vue et images du monde*), l'économie (*L'Expansion*, *L'Entreprise*, *Mieux vivre votre argent*, etc.), la culture et les loisirs (*Lire*, *Studio*, *Classica*, etc.), les jeunes (*L'Étudiant*). Une offre dont la cohérence reposerait sur l'homogénéité de son public « 40-50 ans, à bon pouvoir d'achat ». La holding Roularta Media France comprend, en outre, quelques titres très spécialisés dans la culture (musique), ainsi que les city magazines gratuits « *À Nous...* » (Paris, Lyon, Lille, Marseille, Côte d'Azur), rachetés en 2007. Soit une formule que la maison mère internationalise désormais avec notamment le lancement d'une édition en Croatie en 2008.

Bauer

Second groupe allemand à intervenir sur le marché français, Bauer est un spécialiste de la presse magazine, largement internationalisé, mais aux activités encore peu diversifiées (hormis des participations dans des radios comme RTL2 et Radio Hambourg). Les *consumer magazines* (magazines créés autour de marques, pour le compte de celles-ci) constituent la principale spécialité du groupe. Il est par ailleurs leader des magazines de télévision sur le marché allemand (8 millions d'exemplaires), avec des titres comme *TV Movie, Auf einen Blick, TV Hören und Sehen,* etc. Il est également puissant dans des magazines familiaux et féminins populaires à gros tirages, tels que *Neue Post, Neue Revue, Tina, Bravo,* etc. Le groupe a entrepris son internationalisation dès les années 1980. Il franchit une étape importante dans les années 2000 avec le rachat des anciens titres Emap en Grande-Bretagne.

Son arrivée dans l'Hexagone, en 1986, fut rapidement couronnée du succès de la version française du titre féminin populaire *Maxi.* Il dut cependant connaître une série de déconvenues avec *Aujourd'hui Madame, Screenfun, Vanilly, Bon Week*... Ce qui fait que, avec trois titres véritablement installés, soit, outre *Maxi, Maxi Cuisine* et enfin *Girls !,* la France est loin d'être la principale internationalisation, parmi la quinzaine de pays où il est désormais implanté. Puisque, en Grande-Bretagne, pays où il était déjà implanté, Bauer dispose désormais de l'ensemble de la gamme de magazines qu'Emap publiait outre-Manche.

Le groupe Marie-Claire

Le groupe Marie-Claire est issu de la cession, à Hachette, de son groupe de magazines par Jean Prouvost en 1976. Trois de ses petites filles décident alors de reprendre les féminins en s'associant au groupe de cosmétique L'Oréal, qui détient 49 % du capital, jusqu'à 2001, où l'une des trois cofondatrices se retire également. Il en découle une réorganisation de l'actionnariat qui voit entrer le groupe Lagardère à hauteur de 42 %, les 58 % restants étant partagés entre les deux dernières cofondatrices. La stratégie du groupe reste en France totalement indépendante, alors qu'un partenariat s'établit à l'international avec Lagardère Active Media. Tout en se développant, avec treize titres, le groupe s'est maintenu dans sa spécialité initiale, les féminins.

Au cours des vingt dernières années, le groupe a sensiblement étoffé sa gamme en créant cinq titres et en en rachetant quatre. Ceux-ci se répartissent en quatre généralistes (*Marie-Claire, Avantages, Cosmopolitan, Marie-France*) segmentés par l'âge, le niveau social et le style ; et neuf thématiques : mode (*Marie-Claire 2*), beauté (*Votre beauté*), maison-décoration (*Marie-Claire Maison*), loisirs créatifs (*Marie-Claire Idées*), cuisine (*Cuisine et vins de France, Revue du vin de France*), jardinage (*100 Idées jardinage*). L'internationalisation s'est poursuivie à un rythme soutenu, amenant *Marie-Claire* à trente et une éditions de par le monde, en engageant celle de titres récemment acquis, notamment *Votre beauté*, et en créant, en 2007, avec IPC (déjà partenaire de *joint venture* avec le groupe), un nouvel hebdo féminin sur le marché britannique, *Look*. De son côté, la diversification est conduite sur l'Internet grâce à un GIE (MC2M) avec un acteur du Net, magicmaman.com. Une activité livre est également en développement, de même que la création de salons. Enfin, le groupe détient une modeste participation dans TF1, ainsi que 24,5 % de la chaîne thématique féminine Téva.

Des groupes à forte spécialisation

Éditions Larivière : cet éditeur publie plus d'une trentaine de titres mensuels et semestriels, très spécialisés dans les registres de l'auto-moto (*Moto Revue, Moto verte, Quad Pratique, Option 4 × 4*, etc.), la musique (*Rock & Folk*, etc.), le tourisme (*Le Monde du plein air*, etc.), le nautisme (*Voile Magazine*, etc.), la chasse et la pêche (*Pêche en mer*, etc.), etc. ; sans compter un féminin (*Esprit Femme*) et un petit secteur de lettres professionnelles (*Le Quotidien du tourisme*, etc.)

Groupe Robert Lafont : les domaines couverts par les quatre-vingts mensuels, bimestriels et trimestriels de ce groupe sont également très diversifiés avec : l'économie (*Entreprendre*, etc.), l'immobilier (*L'Essentiel de l'immobilier*, etc.), l'informatique (*Question Micro*, etc.), l'auto-moto (*L'Essentiel de l'auto*, etc.), le foot (*Le Foot Marseille*, etc.), le féminin (*Féminin Psycho, Féminin Décoration, Cuisine Revue*, etc.), la culture et les sciences (*Le Magazine des livres, Science Magazine*, etc.), etc.

Groupe de presse Michel Hommell : créé en 1968, le groupe de Michel Hommell propose dans la vingtaine de titres qu'il édite des spécialisations peut-être encore plus fines à la manière de son *4L Magazine* ou de *Parapente*. Les domaines qu'il couvre sont, là encore, l'automobile (*Échappement, Auto Hebdo,* etc.), le sport (*VTT Magazine,* etc.), la musique (*Rock Mag,* etc.), les loisirs (*Auto modélisme,* etc.), mais aussi la presse de télévision à propos de laquelle il eut des idées novatrices (*Télécâble Sat Hebdo,* etc.).

Éditions Jalou : éditeur familial de huit titres, le groupe est constitué de magazines centrés sur la mode et le luxe (*L'Officiel, L'Officiel Homme, Jalouse, L'Optimum, Montres,* etc.). Dans ce registre, il propose d'ailleurs un titre en direction des professionnels (*Officiel 1 000 modèles*). Il devait segmenter encore son offre par l'âge avec *Muteen.*

Trois groupes de taille modeste dont les principaux titres ont trait à l'actualité peuvent être rattachés, d'une certaine manière, à ces éditeurs dont ils partagent la taille modeste, au moins dans la presse magazine, même si leur spécialisation est bien moindre et leur approche moins segmentante :

— *groupe SFA (Perdriel)* : fondé en 1964, éditeur du *Nouvel Observateur,* le groupe publie également *Sciences et Avenir* et *Challenges,* dont la nouvelle formule et le passage à une périodicité hebdomadaire se sont traduits par une bonne progression de sa diffusion ;

— *groupe Le Point* : cédé par Havas à François Pinault en 1997, le news magazine a fait l'objet d'un fort dynamisme éditorial et commercial (avec notamment des éditions thématiques, localisées, etc.), aux résultats sensibles du point de vue de sa diffusion. Son site Internet est très actif. Il est aujourd'hui le pivot d'un petit groupe de titres de vulgarisation scientifique (*La Recherche, L'Histoire, Historia*), auquel s'ajoute une participation dans *Le Magazine littéraire* ;

— *groupe Le Monde* : aux côtés du quotidien, le groupe a constitué un « pôle magazines » dominé par trois titres phares que sont *Télérama, La Vie* et *Courrier international.* Ce dernier constitue l'une des innovations majeures des deux dernières décennies en matière d'actualité, saluée par une progression régulière de sa diffusion (190 000 exemplaires en 2007) et le développement de deux licences à l'international (Japon et Portugal).

Les indépendants et les individualités

La vitalité du marché des magazines ne serait pas ce qu'elle est sans l'ouverture laissée à l'initiative d'individualités toujours prêtes à relever le défi de la création de titres. Ces entrepreneurs et passionnés de presse sur beau papier jouent un rôle clé dans l'invention, le développement et les adaptations successives de titres indépendants. Il peut s'agir de titres ne diffusant que quelques dizaines de milliers d'exemplaires comme *Les Inrockuptibles*, *Polka* ou *XXI*, mais aussi de véritables succès tels que *Marianne*, dont les ventes dépassent désormais les 270 000 exemplaires.

Les profils de ces créatifs et entrepreneurs sont très variés, allant d'un Jean-François Kahn, vieux routier du journalisme et du débat d'idées qui en quinze ans réussira le lancement de deux news (*L'Événement du Jeudi* puis *Marianne*), au juriste ingénieux qu'est Antoine Adam, qui crée *Le Temps retrouvé* au sein d'un ensemble de caisses de retraite pour en faire ensuite *Pleine Vie*, qu'il revendra à Emap. C'est aussi ce binôme que constituent le grand reporter Patrick de Saint-Exupéry et l'éditeur indépendant Laurent Beccaria pour concevoir et lancer l'improbable *XXI*, à la fois à contre-courant des tendances contemporaines et constituant une intéressante réponse à la recherche de complémentarité vis-à-vis de tous les médias de l'« info chaude » et du texte court. Il faut également citer le cas du fonctionnaire en disponibilité, Denis Clerc, qui lance *Alternatives économiques* sur le difficile marché des magazines économiques, en jouant là encore le contre-pied vis-à-vis de la tonalité d'ensemble de cette famille de publications. Il réalise pourtant une progression substantielle passant de 45 000 exemplaires en 1991 à 97 000 en 2007. Certains de ces indépendants ne le restent pas longtemps, confiant très vite leurs bébés à de grands groupes tel un Jean-Louis Servan-Schreiber, réinventeur de *Psychologies*, qui cède celui-ci à Lagardère Active Media.

Le bouillonnement du marché des magazines est enfin le fruit de son ouverture permanente et nécessaire, qui va conduire des groupes étrangers à tenter leur chance avec un titre. Ce fut le cas, il y a bien longtemps, pour Condenast (*Vogue*), et beaucoup plus près de nous pour Emap (*FHM* ou *Closer*). L'expérience se renouvelle en 2008 avec l'arrivée du concept très italien de *Grazia* sur le marché du « luxe ».

IV / Diversité et tendances

La très grande diversité de magazines et le nombre de ceux-ci ne facilitent pas une présentation de cette forme de publication. L'exercice est d'ailleurs compliqué par les inévitables zones de flou quant aux limites qu'il convient de retenir pour la presse magazine grand public.

Du côté des quotidiens, des suppléments de fin de semaine se développent rapidement, qui vont bien au-delà du *Figaro Magazine* et de *Madame Figaro*. *TV Magazine* (Socpresse) et *TV Hebdo* (Lagardère Active Media) ont en effet tout du magazine de télévision et entretiennent une concurrence sévère avec ces derniers. La création de *Fémina Hebdo*, devenue *Version Femina*, par Hachette Filipacchi Médias, diffusé avec le *Journal du dimanche* ainsi que plusieurs quotidiens régionaux, introduit une dynamique encore inusitée vis-à-vis de l'autre grand secteur des magazines que sont les féminins.

Au cours des dernières années la presse spécialisée technique et professionnelle s'est donné des maquettes, des formes d'écriture et des structures qui se rapprochent des magazines grand public. Cette évolution a été frappante dans un groupe comme la CEP (ancienne filiale presse et édition de Havas), où se côtoyaient des titres professionnels et grand public, sur des sujets parfois proches (l'informatique ou l'économie). Il s'agit pourtant de marchés bien distincts même si des situations hybrides peuvent se développer en matière de magazines économiques ou de presse informatique.

Il faut donc, pour prendre la mesure de cette activité, approcher chacune des familles de titres, les questions qu'elle rencontre, les perspectives qui s'offrent à elle. Faute de pouvoir être exhaustif, il s'agira de dessiner les contours d'une cartographie de la « planète magazine », avec ses continents constitués par chaque famille de publications, avec ses courants porteurs, mais aussi avec des notations climatiques, pour rester dans la métaphore, qui rendent compte des tempêtes qui peuvent obscurcir l'horizon de certains titres et ensembles de titres.

Les magazines télé

Ils constituèrent des années durant le segment dominant de la presse magazine. Les principaux éditeurs entendaient être présents, si possible leader sur ce marché, qui reste stratégique, mais pour combien de temps ? Car la pression de l'Internet est ici tout à fait palpable, avec la proposition des grilles de programmes sur nombre de sites d'information ou de portails, en toute gratuité. Sans compter que la compétition pour prendre le leadership de l'audience a conduit l'un des principaux compétiteurs (Prisma Presse) à lancer un nouveau concept, le quinzomadaire, qui, tout en permettant d'élargir la diffusion au profit de celui-ci, provoque de fait une destruction de valeur, puisque les 2,3 millions de *Télé 2 semaines* et *TV grandes chaînes* ne sont achetés qu'une semaine sur deux, au prix d'un hebdomadaire.

Il n'en reste pas moins qu'aucune autre forme de presse n'a une couverture aussi large des foyers français. C'est d'ailleurs parmi les magazines de télévision que se retrouvent les plus grosses ventes, même si celles-ci ont sensiblement reculé dans la décennie 2000 : *Télé Z*, *Télé 7 jours*, *Télé Star*, sans parler de *TV Magazine* (4,5 millions). Les principaux groupes de magazines (Lagardère, Bertelsmann, Mondadori) s'y livrent une concurrence féroce, illustrée par l'épisode du lancement des quinzomadaires. Celle-ci interviendra d'ailleurs dans la décision d'Emap de se retirer du marché français, perçu dès lors comme trop risqué. C'est en même temps un segment de marché où ont continué de se créer de nouveaux titres dans les années 1990 et 2000, en recherchant des créneaux spécifiques (TV grandes chaînes, câble, satellite, TNT), moins développés (*Télémax*), ou des formules originales (quinzomadaires, suppléments de quotidiens comme *TV Magazine* et *TV Hebdo*).

Sur le plan publicitaire, les magazines de télévision s'emploient à constituer des supports de masse qui se présentent comme des alternatives au petit écran lui-même, tant les volumes de lecteurs touchés sont larges et les reprises en main nombreuses (parfois plusieurs fois par jour). La compétition est désormais très vive, pour le leadership sur ce marché de l'audience, entre l'offre de Lagardère Publicité (Pack 3 regroupant *Télé 7 jours*, *TV Hebdo* et *TV Magazine*, soit 25,7 millions de lecteurs) et l'offre de Prisma Pub (Pôle famille :

Télé Loisirs, *Télé 2 semaines*, *TV grandes chaînes*, *Géo Ado*, soit 14,6 millions de lecteurs).

Essoufflement et mutation

Après une croissance quasiment continue de sa diffusion des années 1960 à la fin des années 1980, la « presse télé » marque le pas. Les géants *Télé 7 jours* et *Télé Poche* ne sont plus que l'ombre d'eux-mêmes, ayant perdu plus de la moitié de leurs acheteurs, au profit parfois de nouveaux venus, ou sous la pression des pages « télé » des gratuits ou des sites d'information du Web. En vingt ans, *Télé 7 jours* est passé de 3,2 à 1,6 million d'acheteurs, pour *Télé Poche* le recul est encore plus sévère, de 1,7 million à 645 000 exemplaires. *Télé Star*, qui progressait encore dans les années 1990, passant de 1,7 à 1,9 million, est retombé dans la décennie suivante à 1,2 million, quant à *Télé Z*, qui avait été une sorte de *succes story* des années 1980 et 1990 se hissant à plus de 2 millions d'exemplaires, il est lui aussi en recul à 1,7 million d'exemplaires. *Télé Loisirs*, créé en 1986 et qui avait gagné 1,7 million d'acheteurs en une décennie, doit faire face au développement des quinzomadaires de son propre éditeur, qui l'ont ramené au modeste niveau de 1,2 million d'exemplaires, ceux-ci gagnant en revanche 1,2 et 1,1 million d'exemplaires, ce qui n'est bien sûr pas suffisant pour compenser le cumul des reculs de l'ensemble de la famille.

Diffusion des principaux magazines télé

	1987	1997	2007
Télé 2 semaines			1 198 000
Télé 7 jours	3 197 000	2 696 000	1 588 000
Télé Loisirs		1 688 000	1 244 000
Télé Poche	1 768 000	1 237 000	645 000
Télé Star	1 701 000	1 869 000	1 199 000
Télé Z	716 000	2 256 000	1 747 000
Télécâble Sat Hebdo			632 000
Télérama	497 000	645 000	639 000
TV grandes chaînes			1 128 000
TV Hebdo			1 700 000
TV Magazine		5 400 000	4 542 000

Source : OJD 1987, 1997, 2007, diffusion payée France.

Loin d'être figée, cette forme de magazines s'est progressivement adaptée aux transformations de la télévision, avec la multiplication des chaînes et l'allongement des horaires de programmation. Ses formats se sont diversifiés (avec les petits formats — bien avant les féminins — tels que *Télé Poche* et *Télé Z*), alors que ses maquettes s'illustraient, multipliaient les photographies, gagnaient en couleur... L'éventail des prix s'élargissant, certains tel *Télérama* s'approchant plutôt de celui des news magazines, alors que *Télé Z* inventait en quelque sorte le *low cost* dans ce domaine.

Du point de vue de son contenu, la presse de télévision a vécu plusieurs mutations depuis les années 1980, alors qu'était annoncé le développement du câble, du satellite puis de la TNT, soit le passage de six chaînes à des bouquets de programmes concurrents. Des titres comme *Télé Câble, Télé Câble Hebdo, TV Câble Hebdo*, etc. ont constitué une forme de pionniers, rodant des formules, des modes de présentation, des maquettes que les leaders du secteur reprendront à leur manière. L'évolution était plus que substantielle, il est vrai aussi que cette famille de presse a eu près de deux décennies pour s'y préparer et la réaliser. Il est peu probable qu'un délai équivalent lui soit offert pour faire face à la rupture encore plus profonde que va connaître le média télévisuel en se développant sur le Net en même temps que sur le mobile. Est-il sûr d'ailleurs que le magazine papier sera le support le plus adapté à cette nouvelle ère des « TV guides » ? Chacun est en tout cas confronté à la difficile question de la transformation des titres actuels, même si leur lectorat se resserre. Avec des diffusions autour du million d'acheteurs, sans doute pas parmi les plus jeunes, pratiquant l'Internet, mais attachés à l'imprimé pour nombre de leurs activités, le défi mérite d'être étudié, même si quelques voix, tel Michael Ringier, peuvent annoncer en 2008 que les magazines de télévision ne font plus partie des axes stratégiques de leurs groupes.

Plusieurs formules pour des utilisations diversifiées

La variété des concepts de magazines de télévision, qui vont de formules extrêmement dépouillées et bon marché comme *Télé Z* aux 150 voire 180 pages largement « quadri » qui font de *Télérama* un véritable magazine culturel, en passant par l'inscription de la télévision dans les divertissements domestiques de *Télé Loisirs*, s'explique d'autant mieux que les usages qu'en font les lecteurs sont divers et parfois assez inattendus. Une première lecture peut ainsi intervenir pour une partie du public dès l'achat, le jour de la parution. La lecture la plus courante est pourtant celle qui s'opère le jour même de la diffusion des programmes, afin de préparer un choix entre ceux-ci. Une partie du public, les « zappeurs », est davantage portée à rechercher dans son journal de télévision des éléments de compréhension pour un programme saisi au hasard des cheminements. Il existe également une lecture *a posteriori* permettant de conforter une impression ou un avis à l'égard de programmes déjà vus, la veille par exemple.

Les féminins

Les magazines s'adressant essentiellement ou du moins principalement aux femmes constituent le second grand segment de la presse périodique grand public. Il ne comprendrait pas moins de quatre cents titres se répartissant en une dizaine de secteurs différents. Car, au sens strict, aux côtés de titres dits « généralistes » se sont développés des domaines de spécialisation parmi lesquels figurent : la famille et les enfants (*Famili*, *Parents*, etc.), la santé et le bien-être (*Santé Magazine*, *Top Santé*, etc.), la décoration et la maison (*Elle Décoration*, *Marie-Claire Maison*, etc.), la cuisine (*Cuisine Actuelle*, *Maxi cuisine*), la mode (*L'Officiel*, *Vogue*, etc.), la beauté (*Votre beauté*, etc.) sans oublier le people (*Voici*, *Closer*, etc.). Au sein de chacune de ces catégories de féminins, les titres se différencient encore, selon l'âge, de l'adolescente (*Julie*, *Girls !*, etc.) à la femme « senior » (*Pleine Vie*), le milieu social ou culturel, avec des titres dits « haut de gamme » (*Cosmopolitan*, *Vogue*, etc.) et des titres « populaires » (*Femme Actuelle*, *Modes & Travaux*, etc.), et bien sûr le style (*Elle*, *Marie-Claire*, *Biba* ou *Atmosphères*, etc.). Il faut noter que, si depuis le milieu des années 1980 la diffusion des titres généralistes tend à stagner, en revanche ce sont les segments de spécialisation qui ont permis la poursuite du développement des féminins. Enfin, loin d'apparaître saturé aux éditeurs, notamment parmi les plus grands, qui entendent tous être présents sur ce marché, ceux-ci continuent de créer de nouveaux titres ou de lancer des versions françaises de grands titres européens tels *Femmes* (Prisma Presse) ou *Grazia* (Mondadori) en 2008.

Comme pour la presse télévision, la question se pose d'intégrer à cette famille de magazines des suppléments vendus en complément de quotidiens, soit *Madame Figaro* et *Version Fémina*. Le mode de commercialisation incite à les traiter à part. En revanche, leur contenu et leur intégration dans l'offre publicitaire des régies des groupes éditant des féminins (notamment Lagardère Publicité) militent pour les aborder conjointement dans l'analyse de ce segment de marché.

Diffusion de masse

Le marché des féminins connaît en effet une diffusion massive. Pourtant, contrairement à la presse de télévision, il ne comporte que peu de « géants », deux titres seulement (*Femme Actuelle* et *Version Fémina*) dépassant le million d'exemplaires. Le volume et la place des féminins tiennent au très grand nombre de titres, à la vitalité du renouvellement de ceux-ci (avec la multiplication des nouvelles formules, hors-série, numéros spéciaux, etc.), aux lancements réguliers de nouveaux concepts (*Atmosphères, Bien dans ma vie, Femmes, Closer, Vivre côté Paris*, etc.), ainsi qu'aux différents sous-segments qu'ont su développer leurs éditeurs au fil des décennies. Parmi ceux-ci figurent bien sûr les principaux groupes de communication plurimédias, mais également un large éventail de groupes moyens et petits (Bauer, Marie-Claire, Express-Roularta, Bayard Presse, Jalou, Ayache, etc.).

Diffusion des féminins généralistes

	1987	1997	2007
Atmosphères			94 000
Avantages		577 000	465 000
Biba	273 000	191 000	255 000
Bien dans ma vie			158 000
Cosmopolitan	300 000	222 000	361 000
Elle	360 000	301 000	345 000
Femme Actuelle	1 979 000	1 734 000	1 026 000
Marie-Claire	610 000	435 000	424 000
Marie-France	308 000	189 000	187 000
Maxi		642 000	464 000
Modes & Travaux	1 073 000	676 000	377 000
Prima	1 350 000	1 108 000	528 000
Version Fémina		2 500 000	3 442 000
Vogue	72 000	72 000	99 000

Source : OJD 1987, 1997, 2007, diffusion payée France.

Évolutions incessantes

La plus ancienne forme de magazines n'a pu assurer son développement continu, marqué par des créations régulières de titres année après année, qu'en opérant des évolutions, voire des mutations parfois extrêmement profondes. Les années 1980 ont été marquées par un repositionnement en direction des femmes actives. La décennie 1990 accompagne les pratiques de lecture de femmes recherchant des publications spécialisées, thématisées en fonction de centres d'intérêt, de loisirs, de styles, etc. Ces dernières viennent compenser l'érosion régulière des féminins « généralistes ».

Diffusion de féminins spécialisés

	1997	2007
Bien-être et santé		515 000
Cuisine Actuelle	291 000	164 000
Elle à table		147 000
Maison Côté Sud	94 000	94 000
Marie-Claire Maison		129 000
Psychologies		336 000
Santé Magazine	400 000	224 000
Top Santé	490 000	307 000

Source : OJD 1997 et 2007, diffusion payée France.

Les créations de féminins thématiques, souvent mensuels, peuvent être des déclinaisons de titres phares comme *Elle*, avec *Elle Décoration, Elle à table, Marie-Claire* avec *Marie-Claire Idées, Marie-Claire Maison, Marie-Claire 2* ; ou des titres totalement nouveaux centrés sur la famille et les enfants (*Famili, Top Famille, Infobébés*, etc.), la santé et le bien-être (*Vie pratique santé, Psychologies*, etc.), la cuisine (*Régal, Saveurs*, etc.), la consommation. Sans oublier l'évolution des goûts et des styles chez les adolescentes (*Girls !, Muteen, Muze*, etc.).

Concepts internationaux

Nombre de concepts de féminins se situent sur un marché quasi-ment mondial. Des titres « historiques » français comme *Elle* et *Marie-Claire* ont réussi dès les années 1970 et 1980 leur adaptation aux marchés européens et nord-américains, pour finalement couvrir l'ensemble des continents. Leurs déclinaisons, *Elle Décoration* et *Elle Girls* ou *Marie-Claire Maison*, etc., suivent le même développement à l'étranger. Le poids de cette internationalisation constitue une donnée essentielle dans l'économie de cette famille de magazines, pour Lagardère Active Media comme pour le groupe Marie-Claire, qu'il s'agisse de la maîtrise des coûts rédactionnels ou de la puissance de ces supports sur le marché publicitaire. *Marie-Claire* par exemple revendique 54 millions d'exemplaires vendus dans le monde chaque année.

La capacité des groupes français à exporter leurs féminins devait rencontrer celle de groupes étrangers entendant s'implanter sur le marché français. Bauer créait des éditions de *Maxi* et *Bravo Girl*, échouant dans le lancement d'un *Aujourd'hui Madame*. Emap reprenait *Modes & Travaux* en rachetant les Éditions Mondiales. Reed Elsevier s'associait à Marie-Claire pour lancer en France *Avantages* (*Essentials* en Grande-Bretagne) et *Famili*. Surtout Prisma Presse, à partir des méthodes de travail de sa maison mère Grüner & Jahr, renouvelait totalement les féminins populaires avec *Prima* et *Femme Actuelle*, renforçait les magazines de cuisine et révolutionnait la presse people.

Des supports publicitaires puissants

Par l'association de titres ou de plusieurs types de féminins, les groupes leaders du marché ont réussi à faire de ceux-ci des supports publicitaires très performants puisqu'ils peuvent apporter aussi bien la puissance de très larges audiences que des ciblages de catégories de lectrices.

Deux regroupements, Prisma Presse et Lagardère Publicité, réalisent chacun des audiences globales de 25 millions de lectrices. Le second dépasse d'ailleurs les 30 millions en y adjoignant l'audience de *Version Fémina*, dont la diffusion atteint les 3,6 millions d'exemplaires, pour une audience dépassant les 10 millions de lectrices. Bien que plus modeste, le groupe Marie-Claire réunit au travers de ses titres un peu plus de 14 millions de lectrices, rien que sur le marché français. Une appréciation complète du potentiel total des titres de ces trois groupes nécessiterait de prendre en compte l'audience internationale de leurs titres, qui peut être dix fois supérieure à l'audience de l'édition française, comme dans le cas de *Elle*.

Les féminins présentent donc un rare atout sur le marché publicitaire : les gros éditeurs peuvent vendre des audiences dont les ordres de grandeur et la couverture géographique dépassent ceux des hebdos télé ; et, simultanément, proposer des segmentations fines par catégorie sociale, niveau culturel, style, pôles d'intérêt, âge, etc. Si les féminins n'atteignent pas les audiences des hebdomadaires de télévision, ils sont pourtant plus attractifs et plus souples pour de nombreux annonceurs, grâce à la possibilité de jouer sur la segmentation comme sur la couverture internationale. Pour Hachette, Prisma et, dans une moindre mesure, Mondadori France, la puissance des hebdos télé et celle des féminins se complètent, puisque les régies de ces groupes les commercialisent simultanément.

La presse people

Les éditeurs eux-mêmes ont du mal à tracer les contours de la presse people, puisque les *pictures magazines* empiètent sur sa thématique, alors même qu'elle est traitée généralement par eux comme une forme de féminins. La définition retenue ici conduit à considérer les magazines people comme des publications dont le concept est centré sur la vie des célébrités (stars du spectacle ou du petit écran, top models, têtes couronnées, ainsi que quelques personnalités politiques ou du monde des affaires). La place du visuel est essentielle, alors que les modes de traitement varient, allant de l'agressivité de *Voici* aux formes romancées de *France Dimanche*, en passant par la chronique mondaine de *Point de vue* ou *Gala*, ou bien le côté saturé et trash de *Public* ou de *Closer*, première manière. Globalement, ce marché, réputé plus faible que chez certains de nos voisins, a connu une forte croissance depuis les années 1980, qui le conduit à près de 3 millions d'exemplaires. Il connaît des créations régulières (tel *Oops !* en mars 2008), même si certaines se révéleront éphémères telles que *Oh là !* et autre *Allô !* à la fin des années 1990.

Diffusion des magazines people

	1987	1997	2007
Closer			469 000
France Dimanche	706 000	525 000	447 000
Gala		297 000	319 000
Ici Paris	422 000	429 000	364 000
Point de vue	339 000	258 000	201 000
Oops !			290 000 [1]
Public			433 000
Voici		614 000	492 000

1. Chiffre 2008, le titre bimensuel ayant été lancé à la mi-mars 2008.

Source : OJD 1987, 1997 et 2007, diffusion payée France.

Le choc de Voici

Durant une trentaine d'années la presse people est restée extrêmement stable dans son mode de traitement, organisée en deux pôles qui se concurrençaient assez peu : l'« information romancée » sur les célébrités, selon l'expression d'un ancien rédacteur en chef de *France Dimanche*, et le carnet mondain des têtes couronnées. *France Dimanche* et *Ici Paris* dans la première catégorie, *Point de vue*

— *Images du monde*, fruit de la fusion des deux titres qui se retrouvent dans son appellation, dans la seconde.

L'arrivée de *Voici*, en 1987, marqua une rupture dans ce paysage relativement calme. Au départ, pourtant, le nouveau titre de Prisma devait s'inscrire dans la gamme des féminins du groupe. Son contenu se voulait plutôt familial. Les résultats décevants amenèrent l'éditeur à revoir totalement le concept en l'orientant vers le people, mais avec un contenu inconnu jusque-là en France : des reportages agressifs, des photos volées, des indiscrétions arrachées à la vie privée des stars. La réaction du public fut immédiate, le titre dépassant rapidement les 500 000 exemplaires. Le marché se trouvait brutalement transformé. Les tenants de l'information romancée devaient évoluer, leur contenu apparaissant désormais quasiment folklorique, alors que *Point de vue* devait rafraîchir sa maquette et sa manière de « raconter ». Fort d'une diffusion qui dépassa par moments les 700 000 exemplaires, Prisma Presse compléta son offre d'un titre plus sage, plus élégant avec *Gala*, concurrençant plus directement *Point de vue*.

Lassitude des lectrices ?

La mort de la princesse Diana est souvent présentée comme la cause d'une rupture dans la prospérité de la presse people. Celle-ci aurait joué le rôle d'électrochoc pour les lectrices, leur faisant prendre conscience du caractère artificiel du contenu, voire de ses aspects nocifs pour la vie même des personnalités qui y tiennent la vedette. La réalité est plus complexe, puisque cette presse peinait déjà à maintenir sa diffusion, y compris lorsqu'elle jouait à fond sur les bénéfices de l'effet Diana. C'est ainsi que de 1996 à 1997 *Voici* perdait 50 000 exemplaires, *Point de Vue* 18 000, *Gala* 5 000.

Une double interprétation peut être apportée. D'une part à force d'être poussée à l'extrême, la chasse aux photos chocs et aux indiscrétions finit par fatiguer, laissant poindre le caractère factice de ce type de traitement. D'autre part, les vedettes étant de plus en plus souvent conduites à porter plainte pour atteinte à la vie privée, au droit à l'image, ou pour diffamation, les tribunaux devaient faire preuve d'une rigueur accrue. Les condamnations s'alourdissaient, alors que les obligations de publier les jugements en couverture donnaient une physionomie nouvelle aux magazines. Petit à petit les études montrèrent le malaise des acheteuses, voire leur culpabilisation au moment d'acheter ces couvertures.

Les éditeurs de presse people s'interrogeront alors sur une éventuelle saturation du marché, voire un déclin de celui-ci. La réponse leur sera en quelque sorte donnée par une nouvelle vague de lancements au milieu des années 2000, avec *Closer* et *Public* et le succès qu'ils connaîtront rapidement. Ceux-ci s'adressent à un lectorat nettement plus jeune. Leur forme, et notamment la photo, est crue et souvent plus « trash ». Le ton est plutôt grinçant ou sarcastique, laissant penser à une lecture au second degré, s'apparentant à celui des radios jeunes ou des « Guignols » sur Canal +. Cela n'empêche cependant pas Mondadori, l'éditeur de *Closer*, de repenser la formule, en l'inscrivant davantage dans le registre du féminin, avec une réaction positive d'un lectorat, assagi en quelque sorte.

Les news et hebdomadaires d'actualité

Dans les représentations françaises cette famille de magazines est celle qui « compte », celle qui suscite l'intérêt, par la place qu'elle occupe dans le débat public. Elle comprend moins d'une dizaine de titres mais ceux-ci sont les symboles de la capacité de la presse à rendre compte du débat d'idées. Ils offrent éditoriaux, tribunes et interviews de tous ceux qui pensent. Les faits d'actualité les plus marquants, y sont analysés en profondeur. Ils font parfois l'événement par leurs enquêtes, leurs dossiers, leurs photos chocs, souvent en couverture. Au regard des autres segments du marché des magazines leur diffusion est modeste, à peine plus de trois millions d'exemplaires. Leur rentabilité est souvent nulle, mais il n'empêche que les groupes s'emploient à être sur ce créneau. Question de crédibilité ou de respectabilité ?

Renouvellement par les news

L'apparition des news illustre la capacité des hebdomadaires d'information politique et générale à opérer une mutation coïncidant avec les mouvements de fond de la société française aux lendemains de la guerre d'Algérie, alors que les institutions politiques se stabilisaient et que l'ensemble des couches sociales entraient dans l'ère de la consommation et des loisirs. Les années 1970 voient *Le Point* rejoindre *L'Express* et *Le Nouvel Observateur*, qui avaient opéré cette mutation à partir de titres existants. Dans les années 1980 et 1990, Jean-François Kahn crée un quatrième news, *L'Événement du jeudi* (disparu en 2000), puis un cinquième, *Marianne*, dans un marché très encombré.

Diffusion des news

	1987	1997	2007
L'Express	555 000	413 000	452 000
Le Nouvel Observateur	340 000	439 000	510 000
Le Point	310 000	288 000	419 000
Marianne		222 000	275 000
Total [1]	1 355 000	1 522 000	1 656 000

1. En y intégrant la diffusion de *L'Événement du jeudi*, disparu depuis.

Source : OJD 1987, 1997 et 2007, diffusion payée France.

Au fil des années et des créations de titres, les news ont fait preuve de dynamisme rédactionnel, avec le développement d'innovations telles que les baromètres d'opinion et autres sondages, les éditions locales ou de ville *(L'Express)*, les suppléments, comme *TéléObs*. Ils ont su donner à des supports d'actualité une forme efficace et élégante. Ils ont constitué des équipes rédactionnelles qui sont autant de belles machines à collecter, traiter et mettre en scène tant une actualité chaude (avec des scoops) qu'une information offrant recul et commentaires diversifiés.

La concurrence exacerbée a contraint les news à un fort dynamisme en matière de promotion et de commercialisation. Ils investissent les dos des kiosques, multiplient les messages sur les radios. Les partenariats avec les télévisions ont été multipliés, avant que les éditeurs ne puissent accéder à la publicité sur le petit écran afin d'amplifier leurs moyens de promotion. Quant aux nombreux mailings à partir de fichiers très ciblés, ils ont poussé à l'extrême les offres de cadeaux et de ristournes afin de séduire les nouveaux abonnés.

Essoufflement ou redéploiement ?

Le marché des news est excessivement atomisé, ce qui complique la rentabilisation de ces titres. Les grandes démocraties ont, au plus, deux news. *Time* et *Newsweek* aux États-Unis, *Stern* et *Focus* en RFA, etc. Face aux 275 000 exemplaires gagnés par *Marianne*, aux progressions sensibles du *Point*, du *Nouvel Observateur* et de *L'Express* dans une moindre mesure au cours des dix dernières années, il faut pourtant bien constater la capacité de cette forme de magazines de gagner encore de nouveaux lecteurs. En dix ans, la diffusion des news a digéré la disparition de l'un des leurs, fait la place à un nouveau venu, tout en progressant de 1 522 000 à 1 656 000. Le tout alors même que la diffusion des quotidiens s'adressant aux mêmes publics marquait sensiblement le pas.

Les plus inquiets des commentateurs soulignent, eux, une progression des ventes insuffisante, alors que les prix de vente sont sévèrement tenus. Ils baissaient même dans la décennie 1990. Les nouveaux abonnés bénéficient de cadeaux et de rabais qui pèsent sur l'exploitation, alors qu'ils hypothéqueraient les réabonnements à plein tarif. Les news constituent, de fait, une catégorie de magazines qui dégage peu de bénéfices. Certains connurent des déficits chroniques, sans pour autant voir leurs éditeurs renoncer. *L'Express* connut un temps de telles faiblesses. *L'Événement du jeudi* devait disparaître, submergé par les pertes. La bonne tenue rapide de *Marianne*, dès 1998, ne devait pas empêcher sa difficulté à trouver les annonceurs lui apportant l'équilibre de ses comptes.

Au cours des deux dernières décennies, les éditeurs des news se sont employés à compenser le handicap de l'atomisation, qui est aussi la contrepartie du pluralisme, par des réponses commerciales ou structurelles, comme le regroupement *L'Express-Le Point* au sein d'Occidentale Médias, puis Havas. Une fois cette alliance rompue, des accords publicitaires *Le Point-Paris Match* ont été noués au sein d'Interdéco. *Le Nouvel Observateur* s'allia au *Point* pour entrer sur le marché des petites annonces. Avec son supplément télé, il dispose d'une réponse éditoriale lui permettant d'être en tête de la diffusion. Or cette position est cruciale pour bénéficier du bonus réservé au leader de tout marché publicitaire.

Ces réponses, souvent plus managériales qu'éditoriales, tout en portant leurs fruits à court terme, n'évitent pas de se poser régulièrement la question d'une nouvelle mutation rédactionnelle des news. La formule, qui a fait le succès de cette famille de presse en France, même si elle a été sans cesse retouchée, peut paraître pour partie usée.

Faut-il y voir la motivation qui devait conduire les news à s'engager très tôt et avec conviction dans le développement de sites d'information sur le Web ? Ils n'hésitèrent pas à investir dans de véritables équipes rédactionnelles dédiées à la version électronique du titre. Il est vrai que le rythme hebdomadaire et leurs effectifs journalistiques importants facilitaient ce développement. Ils accompagnèrent chacune des évolutions dans les contenus du nouveau support (forum, chats, blogs, vidéo, etc.). Ils entrèrent, parfois avec quelque fracas, sur le terrain des médias chauds, n'hésitant pas à se confronter au risque de la diffusion de scoops quelque peu extravagants au regard de la notoriété et de la respectabilité de leurs titres. Outre la possibilité, à terme, de compenser les tensions sur le marché publicitaire, notamment en matière de petites annonces, il ne fait pas de doute que réside ici un enjeu quant à la rencontre d'un public de jeunes adultes, crucial pour l'avenir de ces titres.

La bataille des pictures magazines

Les magazines fondés sur la photo d'actualité, dont *Life* était l'initiateur et la grande référence américaine, paraissaient condamnés par la télévision. Pourtant *Paris Match*, bénéficiant d'une direction éditoriale stable, a su négocier une évolution qui lui permet d'afficher une vente moyenne de 650 000 exemplaires. Sachant que ses unes chocs et certains scoops (Mazarine, François Mitterrand sur son lit de mort, les dernières photo de Diana, etc.) lui permettent de franchir le million d'exemplaires. L'espace qu'occupe le magazine de Lagardère Active Media est un cocktail efficace qui le voit tour à tour flirter avec les news ou avec le people, tout en préservant la référence à son identité d'origine.

Dans les années 1970 Maurice Siegel devait rompre le monopole de *Paris Match* en créant *VSD*. Le rapport à l'actualité était moins explicite. La photo régnait en maître. Le contenu était plus décontracté et ludique. La diffusion du titre n'approchera jamais celle de son grand concurrent. Les héritiers du fondateur feront moins bien, laissant le titre stagner autour de 250 000 exemplaires et ne pouvant éviter la cession. Le rachat par Prisma Presse s'accompagnait de grandes ambitions qui pouvaient rapprocher le titre des news, tout en accrochant *Paris Match* : atteindre le plus rapidement possible les 300 000 exemplaires, en jouant sur un effet prix. L'objectif des 500 000 paraissait accessible. Le groupe ne réussit pas à concrétiser ses ambitions. Des hésitations apparaissent sur la redéfinition du concept, alors même que l'éditeur reste insatisfait à l'égard de sa propre capacité à maîtriser un contenu largement fondé sur l'actualité.

Les hebdos catholiques

Les hebdomadaires catholiques sont les survivants d'un genre, les hebdomadaires d'opinion, qui a vu plusieurs de ses titres inventer les « news à la française », alors que d'autres ne réussissaient pas à se pérenniser, à la manière de *Politique Hebdo*. Ils se distinguent aussi de titres plus militants (*Rouge*, par exemple) qui se refusent à se rapprocher du style magazine, contrairement au *Pèlerin Magazine* et à *La Vie*, qui eux se sont employés à moderniser, illustrer et égayer leur maquette comme leur traitement de l'information.

Diffusion et audience des *pictures magazines*

	1987	1997	2007
Paris Match	883 000	646 000	655 000
VSD	–	290 000	218 000

La diffusion des deux titres a sensiblement reculé, mais l'un et l'autre tentent d'enrayer leur déclin, leur diffusion d'ensemble flirtant avec les 450 000 exemplaires. Les lectorats des deux titres sont assez différents. *Le Pèlerin* s'emploie à stopper l'érosion d'un public assez âgé, issu de la France plutôt traditionnelle, alors que *La Vie* touche des franges un peu plus jeunes et plus modernes. Leur inscription dans le genre magazine ne permet pas à ces titres d'échapper à la réticence habituelle des annonceurs vis-à-vis de la presse d'opinion, aussi leurs performances sur le marché publicitaire sont-elles sans rapport avec leur audience.

Diffusion et audience des hebdos catholiques

	1987	1997	2007
Pèlerin Magazine	385 000	339 000	270 000
La Vie	313 000	229 000	154 000

Les magazines économiques

Issus pour certains de périodiques assez anciens, les magazines économiques vont progressivement émerger au gré de renouvellements de formules ou à l'occasion de créations. Jusqu'à la fin des années 1980 ce segment est dominé par le rôle de *L'Expansion* créé par Jean-Louis Servan-Schreiber. Dès cette période l'un des traits de la situation française tient au nombre très important de titres. Soit une dizaine, si l'on exclut les publications traitant de gestion de patrimoine, ou les titres tournés exclusivement vers les opérateurs financiers.

Nouvelle donne avec Capital

En 1991, alors que la conjoncture publicitaire s'effondre et que la récession économique touche la France après les pays anglo-saxons, un mensuel économique voit le jour. Dernier né de Prisma Presse,

son arrivée est souvent saluée avec scepticisme, tant les conditions du marché paraissant mauvaises. Un doute peut découler de l'éditeur lui-même, qui a multiplié les succès, mais dans des créneaux très différents. Celui-ci n'a pas non plus lésiné sur le débauchage de journalistes réputés chez ses concurrents.
Le magazine qui sort ne peut que déconcerter, tant son contenu, sa forme et son mode de diffusion tranchent sur les titres existants. Il est extrêmement généraliste, son contenu est très dense, ses papiers courts, son style clair et direct, son illustration très importante, son prix paraît cassé (15 francs — 2,30 euros) pour être vendu en kiosque. Il s'adresse explicitement à des cadres, leur parle d'économie, d'entreprise, de carrière, d'activité professionnelle, en se gardant bien de susciter la traditionnelle frustration qui découle de leur situation de subordonnés à l'égard des dirigeants, qui faisaient la vedette de *L'Expansion*.
Le résultat sera immédiat puisque les objectifs de 100 000 sont immédiatement dépassés, avec 216 000 exemplaires vendus dès la première année. L'année suivante la barre des 300 000 est franchie. Au-delà du succès inespéré, *Capital* bouleverse le marché des économiques. Il oblige *L'Expansion* et *Challenges* à revoir leur contenu. Tout le monde doit réviser également sa politique de prix, les 15 francs tirant l'ensemble des titres à la baisse et obligeant les éditeurs à développer leur diffusion pour regagner des marges.

Envol de la diffusion

Le phénomène *Capital*, conjugué à l'intérêt porté pour la chose économique et l'univers de l'entreprise, va conduire à une véritable explosion du marché. Le nombre de titres s'élargit, avec la relance de *Challenges* par le groupe Perdriel, les créations de *Capital*, de *Management*, de *Enjeux-les Échos*. Les nouvelles formules se multiplient aussi à *L'Expansion*, à *Valeurs Actuelles*, etc. D'un peu plus de 500 000 la diffusion va dépasser les 1,4 million d'exemplaires.
Pour autant, ces magazines restent très spécifiques au marché français. Moins austères que leurs homologues anglo-saxons, ils sont plus généralistes et surtout plus proches des news. Déjà très nombreux, ils se sont encore multipliés. Plusieurs éditeurs importants s'affrontent sur ce créneau. Prisma Presse (*Capital* et *Management*) et Express Roularta (*L'Expansion*, *L'Entreprise*, etc.) se disputent le leadership, alors que Perdriel (*Challenges*) fait figure d'outsider. Cela n'empêche d'ailleurs pas une coopérative, Alternatives économiques — dont les créateurs sont issus de l'univers de

Diffusion des magazines économiques

	1987	1997	2007
Alternatives économiques		94 000	97 000
Capital		422 000	385 000
Challenges		209 000	259 000
Enjeux-Les Échos		110 000	127 000
L'Entreprise		114 000	85 000
L'Expansion	173 000	135 000	161 000
Investir	133 000	103 000	98 000
Management		113 000	118 000
Le Nouvel Économiste	100 000	63 000	21 000
Valeurs actuelles		85 000	84 000

Source : OJD 1987, 1997, 2007, diffusion payée France.

l'enseignement —, de poursuivre son approche spécifique (réflexive et pédagogique) avec le magazine du même nom, créé en 1980, rebaptisé par ses lecteurs *Alter éco*.

Les magazines générationnels

Deux stades de la vie constituent des communautés suffisamment fortes pour qu'ils aient donné naissance à des familles de magazines spécifiques : les jeunes et les « seniors ». En fait ces deux ensembles

Diffusion des magazines jeunes
(par catégories)

	1987	1997	2007
Distractifs			
Le Journal de Mickey	280 000	171 000	153 000
Picsou Magazine		195 000	125 000
Super Picsou Géant		231 000	182 000
Éducatifs			
Astrapi	92 000	77 000	65 000
J'aime lire		162 000	128 000
Phosphore		79 000	78 000
Pomme d'Api	156 000	103 000	115 000
Sciences et Vie Junior		175 000	146 000
Wapiti		88 000	68 000
Ados			
Star Club		462 000	60 000

Source : OJD 1987, 1997, 2007, diffusion payée France.

sont extrêmement évolutifs, répercutant les transformations que connaissent les enfants, les adolescents et leurs modes ; ou les retraités, qui désormais peuvent espérer vivre ce statut trente voire quarante ans, avec un contraste toujours plus fort entre de jeunes seniors très actifs, gros consommateurs de loisirs, et des personnes très âgées devant vivre de longues années avec des handicaps moteurs et sensoriels parfois très forts.

L'atomisation de la presse jeunes

Il faut distinguer au moins trois composantes très différentes au sein de la presse jeunes, en fonction de l'approche éditoriale et du type de lectorat visé. Chacun de ces marchés a vu se multiplier les titres et les éditeurs y intervenant, alors même que l'effectif global de la population visée stagnait.

Publications distractives pour les « petits »

Historiquement les publications de Lagardère exploitant des licences Disney *(Mickey, Picsou, Donald,* etc.) occupent une place centrale sur ce segment de marché, dans lequel figure toute une variété de publications fondées sur les bandes dessinées et les jeux. D'autres éditeurs ont proposé un temps des titres qui ont connu une forte audience, voire une large notoriété, tels *Pif le chien* ou *Pilote*. Cette catégorie de publications, dont la vente a lieu principalement en kiosque, a semble-t-il pâti d'un manque de renouvellement de son contenu et de ses concepts rédactionnels face à la télévision, aux albums de bandes dessinées et aux publications éducatives. C'est ainsi que *Pif* et *Pilote* n'ont pu éviter la disparition, au même titre que *Donald Magazine*. Quant aux poids lourds que constituaient *Le Journal de Mickey* ou *Picsou Magazine* avec 171 000 et 195 000 exemplaires, ils ont perdu respectivement 163 000 et 167 000 acheteurs en quinze ans.

Explosion de la presse éducative

Les éditeurs catholiques, essentiellement Bayard Presse et Fleurus (filiale des Publications de la Vie catholique), qui inventèrent au départ ce segment de marché, le qualifièrent de « presse éducative ». Ils marquaient ainsi une ambition éditoriale qui se voulait pédagogique et éthique, sans renoncer à une large dimension ludique, face à un marché dominé par des publications purement distractives. La grande période de développement de la presse

Thématisation et atomisation

La thématisation et l'atomisation de la presse jeunes sont très bien illustrées par l'évolution qu'a connue le leader de ce marché, Bayard Presse, au cours des vingt-cinq dernières années (même sans prendre en compte sa filiale Milan). En 1983, Bayard Presse publiait sept titres de presse éducative, alors qu'il en propose vingt-six en 2008. Sur les sept titres que comptait le groupe en 1983, il fallait compter quatre généralistes. En 2008, il n'y a que sept généralistes (*Popi, Pomme d'Api, Astrapi, Okapi, Phosphore*, etc.) contre dix-neuf spécialisés. La diffusion des seconds dépassant sensiblement celle des premiers.

Bayard Presse propose, en 2008, six thématisations différentes : la principale, la lecture d'histoires (sept titres), très proches du livre (*Les Belles Histoires, J'aime Lire, Je bouquine, D Lire*, etc.) ; le religieux (*Pomme d'Api Soleil, Prions en Église junior, Filotéo*, etc.) ; l'ouverture vers l'anglais (*I love English, To Day*) ; l'image et la documentation (*Images Doc*) ; l'actualité (*Les Dossiers de l'actualité*), la culture en direction des adolescentes (*Muze*).

Globalement, la diffusion du groupe a progressé sur ce marché, d'autant qu'il a également fait l'objet d'une internationalisation. Cependant les diffusions des généralistes sont très attaquées puisque, en vingt-cinq ans, *Pomme d'Api* passe de 167 000 à 115 000, alors qu'*Astrapi* recule de 114 000 à 65 000.

éducative se situe dans les années 1970 et 1980. Les deux groupes catholiques seront rejoints par un jeune concurrent laïque, Milan (*Picoti, Toboggan, Wapiti*, etc.), et dans une plus faible mesure par Excelsior avec *Sciences et Vie Junior*.

En près de quatre décennies le marché de la presse éducative n'a cessé de se développer et en même temps de se transformer sous la pression combinée de deux tendances : l'atomisation et la thématisation. Milan développait ainsi une thématisation sur la synthèse de l'actualité, avec *Les Clés de l'Actualité* et *Les Clés de l'Actualité Junior*. Ces dernières publications, dont la forme est hybride entre le magazine et le journal, semblent avoir joué un rôle important dans la conception de quotidiens pour enfants par le groupe Play Back (*Mon Quotidien, l'Actu*). Quant au groupe Excelsior, son entrée s'était faite uniquement par le thématique avec *Sciences et Vie Junior* et *Sciences et Vie Découverte*.

La presse ados

Les années 1960 ont vu naître une forme de presse spécifique centrée sur les modes musicales et les stars de celles-ci. Qualifiée de « presse yé-yé », elle s'incarna tout particulièrement dans la publication de *Salut les copains*, lancé par Franck Thenot et Daniel Filipacchi, ce dernier étant l'animateur vedette d'une émission de radio à succès. La réussite de *Salut* devait entraîner la création de nombreux autres titres tels que *Âge tendre, OK Podium*, etc.

Au début des années 1980, la presse ados semblait en perdition, ses titres ne survivant qu'au prix de fusions, tel *OK Podium*. Cependant, de nouvelles modes vinrent, avec leurs propres stars, qui dopèrent la diffusion de nouveaux titres (*Star Club*, *Miss Star Club*) qui connaissent à leur tour le déclin, relayés par de nouvelles créations sous l'impulsion de M6 notamment. Il n'en reste pas moins que ce segment est désormais très fragilisé face à la montée d'autres médias et formes de loisirs (Internet et jeux vidéo).

La presse jeunes n'a cessé de se transformer et se renouveler sur un marché nécessairement plus étroit que celui de la presse adultes. Son extrême segmentation a conduit à une forme d'atomisation et un risque de banalisation des titres, perceptible dans tout point de vente de presse. Elle fait face à une concurrence des chaînes de télévision thématiques, elle-même pléthorique. Elle s'est engagée très tôt sur le multimédia, épousant toutes ses formes du CD-rom au Web bas débit. Chacun des éditeurs entend désormais adapter son offre aussi bien imprimée qu'Internet à la nouvelle donne concurrentielle, ses intervenants, souvent de taille moyenne, devant évaluer leurs forces face aux géants de l'Internet et du divertissement.

L'ascension de la presse seniors

L'idée de proposer des publications s'adressant aux seniors n'allait pas soi puisqu'il s'agit d'une population qui est déjà très consommatrice de magazines télé et forte lectrice de quotidiens comme de magazines tant généralistes que thématiques. Il fallut attendre 1968 pour que Bayard Presse tente l'aventure de *Notre Temps*. Le succès fut rapide puisque cinq ans plus tard le titre dépassait les 600 000 exemplaires, alors qu'il s'est stabilisé légèrement au-dessus du million d'exemplaires. Dans son sillage le groupe catholique publiait un thématique jeux *(Les Jeux de Notre Temps)*, qui dépasse les 100 000 exemplaires.

Les éditeurs concurrents semblèrent rencontrer de plus grandes difficultés à trouver la bonne recette. Le quasi-monopole de *Notre Temps* est toutefois rompu avec la progression du *Temps retrouvé*, devenu *Pleine Vie* et repris par Mondadori, puisque de 1991 à 1997 sa diffusion augmente de plus de 65 %, pour atteindre plus de 700 000 exemplaires. Désormais la compétition est féroce entre les deux titres, qui tentent de séduire surtout un public féminin senior tout en le gardant le plus longtemps possible. Difficulté qui n'est pas légère s'agissant d'un lectorat qui connaîtra bien des étapes différentes dans un parcours de vie qui peut s'étendre sur plusieurs décennies.

Diffusion magazines seniors

	1996	2007
Notre Temps	1 063 000	905 000
Le Temps retrouvé/Pleine vie	588 000	913 000

Source : OJD 1996 et OTD 2007, diffusion payée France.

Spécialisation extrême des magazines à centres d'intérêt

Les magazines à centres d'intérêt constituent la catégorie de publications qui se développe le plus rapidement, avec la création de très nombreux titres chaque année. Il est possible de les subdiviser au moins en une douzaine de sous-ensembles que forment : l'automobile, l'évasion — les voyages —, la découverte, les loisirs, les sports, les animaux et la nature, les sciences, la culture et les beaux-arts, les communautés, les maisons et jardins, les faits divers. Certaines de ces catégories voient d'ailleurs apparaître régulièrement des subdivisions qui peuvent donner naissance à un nouveau sous-ensemble, comme ce fut le cas pour l'informatique grand public et les jeux vidéo au sein des loisirs.

Des thématiques toujours plus fines

Les magazines à centres d'intérêt illustrent particulièrement bien le mouvement général de la presse magazine qui consiste à multiplier les titres sur un domaine en développant des thématiques de plus en plus fines. Pas moins de vingt-neuf titres contrôlés par l'OJD traitent ainsi de l'automobile. Parmi ceux-ci figurent des publications dont l'approche est assez généraliste, avec des diffusions importantes, comme *L'Action Auto Moto* (284 000 exemplaires), *Auto Plus* (322 000 exemplaires), mais aussi des approches extrêmement spécialisées comme *ADDX* (56 000 exemplaires), *4 × 4 Magazine* (18 000 exemplaires), ou encore *2CV Magazine* (12 000 exemplaires).

La multiplication des titres et l'affinement des thématiques s'accompagnent le plus souvent d'une érosion des leaders historiques, mais également d'une progression sensible de leur public, comme le montre très bien un segment comme celui de la vulgarisation scientifique.

Jusqu'au début des années 1980, deux titres se partageaient cette spécialité, *Sciences et Vie* et *Sciences et Avenir*. En 1981, Prisma lançait un titre à l'ambition plus grand public, *Ça m'intéresse*, qui prenait pour un temps le leadership. Des titres plus pointus faisaient leur apparition au fil des années, tels que *La Recherche* et *Pour la Science*. En 1994, *Sciences humaines* concrétisait un degré encore plus grand de segmentation, trouvant malgré tout plus de 35 000 acheteurs. Bayard Presse, en 1995, adoptait un point de vue éditorial encore différent avec *Eurêka*, qui privilégiait la dimension culturelle des phénomènes scientifiques. Le titre sera cependant arrêté faute d'une diffusion suffisante.

Sciences et Avenir a su profiter de cette dynamique du marché, sa diffusion ayant presque triplé en vingt-cinq ans, passant de 100 000 à 270 000 exemplaires. *Sciences et Vie*, l'ancien leader, devait souffrir de cette concurrence accrue, descendant au-dessous des 300 000 exemplaires. Il réagit cependant en jouant la carte d'une segmentation par âge, avec *Sciences et Vie Junior* et *Sciences et Vie Découvertes*, ainsi que dans le mode de traitement avec *Les Cahiers de Sciences et Vie*, soit au total quelque 249 000 exemplaires.

Des contrastes importants

Globalement, les magazines à centres d'intérêt sont le siège de contrastes importants, qu'il s'agisse de la notoriété des titres ou de leur diffusion. Des titres historiques ou connus de tous y figurent, tels que *Le Chasseur français*, *Historia* ou encore *L'Auto Journal* ou *Géo*. Ils voisinent avec des publications connues des seuls passionnés d'un domaine, tels que *Vénerie* (6 000 exemplaires) ou *Sono Mag* (12 000). Du point de vue de la diffusion, la majorité des titres sont en dessous des 100 000 exemplaires, ce qui n'empêche pas que s'y retrouvent quelques poids lourds comme *Le Chasseur français* avec 441 000 exemplaires. À l'autre bout, de toutes petites diffusions, telles que les 9 700 exemplaires de *Pédagogie Magazine*, trouvent pourtant leur économie. Il faut s'attendre également à de forts contrastes quant aux évolutions de ces titres face à l'Internet. Certains d'entre eux, dont le contenu est essentiellement factuel et pratico-pratique (données, programmes, tarifs, etc.), s'engagent déjà dans un transfert substantiel sur des sites d'information, quitte à abandonner à terme leur version imprimée, comme ce fut déjà le cas en presse professionnelle. D'autres, au contraire, dont l'éditorial et le récit texte et image sont forts, le support imprimé esthétiquement de qualité, devraient encore renforcer ces atouts comme le manifeste la création, en 2008, d'un titre tel que *XXI* (textes longs et travaillés, reportages photo et dessin, etc.).

De très nombreux intervenants

De nombreux groupes, grands, moyens ou petits interviennent sur ce marché : Lagardère, Bertelsmann (Prisma Presse et Motor Presse France), Mondadori France, Bayard-Milan, Express-Roularta, Perdriel, groupe Alain Ayache, Bonnier, Lafont Presse, Éditions Larivière, etc. Ce qui n'empêche pas la présence de titres indépendants.

Parmi les grands, Emap (devenu Mondadori France) fut celui qui avait la plus forte présence, avec plus de 2 millions d'exemplaires vendus au début des années 2000, dans des segments aussi différents que l'automobile et la moto (dont *Auto Plus, L'Auto Journal, Action Auto Moto*), le sport (*Golf, Bateaux*, etc.), les animaux et la nature (dont *Le Chasseur français* et *30 millions d'amis*), les beaux-arts et la culture (*Diapason, Studio*), les maisons et jardins (*L'Ami des jardins*), l'évasion (*Grands Reportages*). La stratégie engagée par Mondadori France depuis 2007 manifeste une réorientation qui traverse l'ensemble des titres à centre d'intérêt, les grands groupes se concentrant sur les plus grands titres ou des gammes cohérentes (l'automobile par exemple), qui pourront faire l'objet de création de portails sur le Net. Ils cèdent leurs petits titres, ou ceux isolés dans leur « portefeuille », à des groupes moyens ou très spécialisés (Lafont, Larivière, etc.). C'est ainsi que Mondadori devait revendre *Studio* à Express-Roularta, ou certains de ses titres de sport à Motor Presse France.

Selon les publics touchés, le type de centre d'intérêt concerné, les groupes réussissent à trouver sur ce segment de marché des rentabilités assez variables. Certains dégagent des résultats très significatifs. Ces performances ne sont pas sans rapport avec l'intérêt qu'y trouvent les annonceurs et les caractéristiques de ces derniers (puissance du secteur industriel ou de service concernés : industrie automobile, équipementiers, accastillage, vêtements et distribution de sport, etc.). Les magazines à centre d'intérêt fournissent une excellente complémentarité à l'audiovisuel, par la finesse des segmentations, qui permet en outre des couplages avec le Web. Notamment, certains domaines offrent des opportunités de développement des petites annonces d'un niveau comparable à celui de la presse spécialisée technique et professionnelle. En revanche, nombre d'entre eux, comme pour celle-ci, pâtissent d'une dépendance exclusive à l'égard de quelques annonceurs correspondant à leur seule spécialité, avec les limites que cela peut supposer en volume, sans oublier la contrainte qui peut en découler sur le plan rédactionnel.

V / Mise en scène de l'information

A priori l'information présentée dans les magazines est d'une très grande diversité. Quel rapport entre un dossier de news, les programmes de la soirée dans un hebdo télé ou le courrier des lectrices d'un féminin ? Il serait alors tentant d'avancer que la spécificité du magazine se situe dans sa forme, son illustration, la qualité de son papier, ses structures et méthodes de production, sans parler de sa périodicité, et non pas dans son mode de traitement de l'information. Il existe pourtant des lignes de force, des manières de faire qui sont bien propres à la presse magazine, quel que soit le type d'information traitée. Celles-ci tournent toutes autour du fait que dans le magazine l'information n'est pas seulement transmise avec le maximum d'efficacité et de rigueur. Elle est d'abord « mise en scène ».

La relation magazine-lecteur

L'enjeu de la mise en scène de l'information doit se comprendre à partir de la relation qui s'établit entre le lecteur et son (ses) magazine(s). Le magazine est une presse qui est d'abord centrée sur son lecteur. Elle part du lecteur pour revenir à lui avec un contenu dans lequel il doit se reconnaître au travers de préoccupations, de goûts, de styles ou d'émotions qu'il recherche. Ce centrage sur le vécu et les caractéristiques du lecteur se retrouve bien dans l'analyse des forces et des faiblesses des magazines par rapport aux autres médias du point de vue du public, telle qu'elle ressort d'une étude comme SIMM (Lagardère Publicité).

Le magazine est plébiscité pour sa capacité à surprendre et à proposer des sujets inattendus. Il est le plus fort également pour aider à comprendre les questions complexes, ainsi que pour donner des conseils et fournir une information pratique. Il n'a pas son pareil non plus pour indiquer les modes et faire découvrir de nouveaux objets. Le magazine est assez bon pour inviter au rêve et permettre l'évasion, puisqu'il égale presque la radio, sachant que dans ce domaine il est tout de même distancé par la télévision. Il se place derrière la radio et la télévision pour la pure distraction. Il devance toutefois ici assez nettement le quotidien. Ses points faibles se situent en revanche dans le traitement de tout ce qui relève de l'espace public et de l'actualité, puisqu'il arrive bon dernier pour le traitement des opinions et la crédibilité et la fiabilité des informations.

Partant du lecteur, le magazine lui tend un miroir d'un type particulier. Il s'agit en effet d'un miroir où le lecteur ne se retrouve pas dans sa globalité, mais sous un de ses traits spécifiques : un domaine qui l'intéresse, un sujet de préoccupation, une attirance pour une activité, la recherche d'une forme d'émotion et bien sûr aussi son sexe, son âge, ses responsabilités sociales, familiales, etc. Ce faisant, il reste à nouer la relation au lecteur en lui faisant connaître et reconnaître la possibilité d'engager cette relation. Le magazine doit attirer l'attention du lecteur et le séduire. Une fois obtenue, cette adhésion se traduira par l'achat ou la lecture. Le contrat entre le magazine et son lecteur ne sera honoré que si, par sa forme de récit, son contenu, les cheminements qui peuvent s'y mener, se trouve généré un sentiment de satisfaction. Cette dernière est la clé d'un renouvellement, par la suite, du même contrat.

L'enjeu de la conception et de la mise en scène de l'information découle du fait qu'en matière de lecture de magazine chaque individu dans sa singularité n'est pas invité à s'identifier à un seul magazine. De ce point de vue l'étude SIMM Scanner montre bien que le lecteur trouve mieux son appartenance à une communauté avec un média comme le quotidien. Le lecteur de magazine est à l'initiative. Il est actif, au sens où c'est lui qui compose le bouquet de magazines qui correspond à sa manière d'être du moment. Selon son humeur, son vécu, les périodes de sa vie, la saison, etc., il ne compose pas le même bouquet. Chaque magazine vit en permanence la tension qui lui permettra de se faire reconnaître comme devant trouver sa place dans le bouquet que recompose à chaque instant un individu particulier.

Lecteurs de magazines

La notion de bouquet de magazines est confirmée par les résultats de l'étude « Audiences études sur la presse magazine » (AEPM), selon laquelle en 1997 chaque Français lisait en moyenne 6,4 magazines dans la « dernière période » (par référence à la lecture dernière période (LDP), soit la semaine pour l'hebdomadaire, les deux dernières semaines pour un bimensuel, etc.). L'organisme d'étude qui propose une typologie de lecteurs met en évidence que deux catégories de forts lecteurs, les « dynamiques » et les « expansifs », soit près d'un Français sur cinq, lisent même respectivement 9,5 et 8,9 magazines ; pour les plus faibles, les « paisibles », ce chiffre tombe à 3,2 [1].

L'étude des « pratiques culturelles des Français », réalisée tous les sept ans par le ministère de la Culture, révèle que presque tous les Français sont lecteurs de magazines, puisque seuls 16 % d'entre eux ne lisent pas régulièrement cette forme de presse (contre 64 % pour les quotidiens). Ce chiffre est d'ailleurs stable, ne variant pas entre 1989 et 1997. Chez les plus jeunes (15-19 ans) et les adultes les plus actifs (35-44 ans), ce chiffre est encore plus bas puisqu'il tombe à 11 % et 13 %. Les plus faibles lecteurs sont les plus âgés (plus de 65 ans) avec 23 % de non-lecteurs, les moins diplômés (aucun diplôme) avec 21 % de non-lecteurs.

Les femmes lisent légèrement plus les magazines que les hommes, 86 % contre 82 %. Dans les grandes familles de magazines, l'étude du ministère de la Culture relève sans surprise que les plus lus sont les hebdomadaires de télévision (58 %), suivis des féminins (28 %) et des magazines de loisirs (23 %). Si sur les sept dernières années le chiffre des féminins est stable, les hebdomadaires de télévision ont progressé de 51 % à 58 %, de même que les magazines de loisirs qui passent de 16 % à 23 %. En revanche les magazines d'information générale reculent de 15 % à 13 %, de même que les « magazines de fin de semaine » de 17 % à 12 %, ou les magazines culturels de 10 % à 7 %. Les magazines scientifiques progressent légèrement de 9 % à 10 %.

Identifier des sujets attractifs

La très grande majorité des magazines traite d'une information qui n'a pas de rapport direct avec l'actualité. Leur contenu n'est donc pas rythmé par des événements qui viennent structurer et remplir leurs pages, à la manière des quotidiens ou des journaux en

---

1. Pour les précisions concernant les définitions de ces types et les résultats des huit types retenus par l'AEPM, se reporter à : « L'audience de la presse magazine — janvier à décembre 1997 », vol. 3, AEPM, p. XVII à XXI.

Genres de magazines lus « régulièrement »
(En %)

Catégories de magazines	1989	1997
Hebdomadaires de télévision	51	58
Féminins	28	28
Magazines de loisirs	16	23
Magazines d'information générale	15	13
Magazines de fin de semaine	17	12
Santé [1]	–	12
Magazines scientifiques	9	10
Magazines de décoration	10	8
Autres magazines	–	8
Magazines économiques	–	7
Magazines de culture	10	7

1. Catégorie non prise en compte dans l'étude de 1989.

Source : « Les pratiques culturelles des Français », enquête 1997.

radio-télévision. Dans la plupart des périodes cette information arrive à flot nourri, *via* les fils des agences, des bourses d'images, etc. Le travail des journalistes est d'abord de trier et de hiérarchiser les sujets, puis éventuellement de les compléter de recherches documentaires, d'interviews, de reportages, de commentaires. En presse magazine, rien de tout cela, ou si peu. Il revient au journaliste d'identifier des tendances, des phénomènes émergents, afin d'en tirer des sujets d'enquêtes, de reportages, de dossiers, etc.

Il existe bien sûr des degrés dans ce rapport plus ou moins grand à l'actualité et dans cet impératif de créativité. Il faut se représenter les magazines comme pouvant se situer sur une échelle de plus ou moins grande connexion avec l'actualité. Les news ou les hebdomadaires d'information en représentent le degré le plus élevé, alors que les magazines pour enfants, les magazines à pôles d'intérêt (voyage-évasion, sports, maisons et jardins, etc.) se situeraient à l'autre extrémité, leur rapport à l'actualité se limitant aux saisons ou à quelques grandes manifestations ou salons. Quant aux magazines qui paraissent les plus articulés à l'actualité, leur contenu comporte une part très significative consacrée à des sujets « froids », dans des rubriques telles que la santé, les loisirs, le consumérisme, etc. Les dossiers, qui commandent bien souvent les couvertures, multiplient les sujets comme les salaires des cadres, le mal au dos, ou même les « juges qui font trembler les puissants », pour un « Juppé accusé » ou un « Roland Dumas, les secrets d'une vie ».

Des idées

Le journaliste de presse magazine doit donc être créatif, imaginatif, ultra-sensible à tout ce qui bouge et peut intéresser les lecteurs. L'obsession des rédacteurs en chef est partout la même : trouver des journalistes « qui aient des idées », constituer des équipes rédactionnelles, les renouveler et les animer, afin qu'elles fourmillent d'intuitions et de propositions. Il s'agit là en effet d'une condition tout à fait nécessaire et vitale, même si elle n'est pas suffisante. Cette créativité doit être associée à d'autres qualités qui, selon les formes de magazines, seront la compétence et la spécialisation, la rigueur et la précision, l'élégance du style, un sens esthétique, la séduction, etc.

L'information et le contenu doivent être originaux, attirants, intéressants, mais ils doivent aussi séduire, faire plaisir... Les magazines sont le plus souvent en concurrence féroce avec d'autres magazines ou avec d'autres médias. Ils interviennent dans des registres qui sont ceux des loisirs, de la détente, du rêve, de la suggestion de comportements ludiques (se faire beau ou belle, pratiquer un sport, regarder un programme de télévision, préparer ses vacances, etc.).

L'exigence de créativité est renforcée dans les mensuels par le compte à rebours de la préparation d'un numéro, qui s'engage, bien souvent, quatre à six mois à l'avance. Au cours de séminaires de rédaction ou de réunions de programmation, doivent être identifiés les sujets des dossiers, des principaux reportages et enquêtes, ainsi que ceux qui pourraient se les voir confier. Les sujets des numéros d'été se discutent en plein hiver. Un mensuel économique doit décider de l'essentiel des thèmes concernant des entreprises, des secteurs ou des marchés, alors que, entre-temps, la Bourse a pu s'effondrer ou prendre des envols vertigineux, ou que des mégafusions ont pu intervenir.

Raconter des histoires

Lorsque les journalistes ou les rédacteurs en chef de magazines expliquent la particularité de leur travail, par rapport aux autres médias, ils recourent à une formule : « raconter une histoire ». Toute école de journalisme enseigne que, pour être accessible à un public large, un sujet d'information doit raconter une histoire. En presse magazine cette dimension devient essentielle puisque la curiosité et l'émotion suscitées par l'événement ne jouent pas. Il faut donc raconter une histoire, à partir de deux récits qui s'entrecroisent et s'épaulent : celui du texte et celui de l'image. Ceux-ci doivent se situer simultanément dans la cohérence plus large qu'est la maquette, ainsi que l'organisation générale du numéro, le « chemin de fer ».

Le synopsis

L'évolution des méthodes de préparation des articles avec la notion de synopsis, empruntée à l'audiovisuel, concrétise parfaitement cette conception du traitement de l'information, dont il est possible de retracer les principales étapes.

— Au départ intervient une première discussion sur un projet d'article dont l'idée a été arrêtée lors d'une réunion de programmation. Le journaliste, le plus souvent pigiste, choisi en fonction de ses compétences et de son savoir-faire sur le sujet ou pour un type d'article, rencontre le rédacteur en chef ou le responsable de rubrique. Celui-ci lui présente le projet de papier. Un large échange permet d'identifier les principales idées et de se mettre d'accord sur un contenu, des angles possibles, un type de récit, une structure, l'illustration possible. Sur cette base un synopsis lui est commandé.

— Durant quelques jours, quelques semaines, le journaliste réfléchit, rassemble une partie de la documentation nécessaire, interroge quelques personnes ressources et construit son synopsis. Celui-ci précise le contenu qui sera traité, les angles choisis, le déroulement du récit page à page, la construction, avec le papier principal, les encadrés, les illustrations souhaitées, les volumes de texte et d'illustrations.

— Une nouvelle réunion se tient alors sur la base du synopsis. À *Capital*, elle a lieu après que les synopsis ont été discutés en conférence de rédaction. Tous ceux qui auront à coopérer à cet article sont présents. Le rédacteur en chef est souvent accompagné du directeur de la publication, d'un infographe et d'un responsable du visuel (maquettiste ou directeur artistique). Le synopsis peut être modifié, complété ou réaménagé. Les espaces, les longueurs sont très précisément arrêtés pour chaque partie, ainsi que pour l'illustration. Le partage des rôles et le calendrier sont arrêtés. Chaque professionnel, photographe, infographe, va, dès lors, travailler parallèlement et au même rythme.

— Tout au long de la préparation de son article, au travers de l'enquête, des interviews, du recueil de documents, puis de l'écriture, le journaliste se devra de respecter scrupuleusement le cadre du synopsis et du calendrier arrêté. Toute remise en cause entraîne des effets en chaîne, le travail des infographes comme la négociation des photos nécessaires pouvant se trouver totalement en porte-à-faux vis-à-vis d'un réaménagement ou d'une réorientation du papier. S'adresser à un pigiste connaissant déjà largement le sujet évite ce désagrément. Les délais, assez longs, permettent d'intégrer des adaptations même si elles demandent aux uns et aux autres de se recaler. Une à plusieurs réunions intermédiaires ont vocation à vérifier que l'avancement conjoint se fait dans de bonnes conditions.

— Le texte est transmis *via* le Net, dans un corps de caractères spécifique, au format et avec des indications de mise en page. Il peut être accompagné d'éléments d'illustration. Une réunion des différents intervenants se tient autour du rédacteur en chef qui vérifie que l'histoire « fonctionne ». Si des problèmes ou des imperfections apparaissent, il faut reprendre. Les délais permettent de revoir le récit ou l'écriture autant de fois qu'il le faut. Il en va de même des infographies, du traitement de la photo et de la maquette. La finalisation peut être confiée à ceux qui ont eu la commande de départ, mais bien souvent elle revient à des secrétaires de rédaction, après intervention de correcteurs-réviseurs. En presse magazine, une histoire n'est publiée que lorsqu'elle est totalement convaincante. Un titre comme *Capital* commande beaucoup plus d'enquêtes, de dossiers qu'il n'en a besoin, ce qui lui permet à tout moment de renoncer à publier un papier qui semble insuffisamment pertinent.

Des récits en images

Dès le départ, la notion de magazine impliquait une forte place donnée à l'image. Au fil des décennies le rôle de celle-ci n'a cessé de se renforcer, de s'enrichir, devenant totalement interdépendant du texte. Il ne s'agit pas de simple illustration, comme c'est bien souvent le cas pour un quotidien, mais bien d'un récit spécifique dont il est possible de souligner au moins trois fonctions essentielles.

L'image renseigne

Au premier rang de celles-ci, il y a l'information proprement dite. La conception des magazines modernes conduit à transférer une part de plus en plus importante d'informations dans des récits parallèles, complémentaires du texte de l'article principal. Les photographies sont conçues et choisies pour la richesse des renseignements qu'elles fournissent sur le contexte, les circonstances, les protagonistes ou les caractéristiques de l'action. « Une image en dit souvent beaucoup plus qu'un long texte », se plaisent à remarquer nombre de rédacteurs en chef. Le récit photographique renvoie au récit proposé par l'image de télévision. Le prix de certaines photographies est en rapport avec ce type de renseignements fournis sur une situation ou un événement.

De nombreuses données, la représentation de phénomènes ou de tendances, peuvent également être exprimées sous forme de schémas, de cartes, de graphiques, de tableaux dont la sophistication et la souplesse de réalisation ont connu un saut qualitatif avec l'infographie. Au-delà d'un allégement du récit par le texte, le récit en images offre des possibilités considérables d'enrichissement et de densification des informations et des données qui peuvent être fournies dans un article, sur un espace limité, avec une très grande souplesse d'utilisation pour le lecteur, qui se voit proposer divers modes d'accès et cheminements dans l'information.

Dans la complémentarité des récits visuels et textuels, peut être recherché un effet particulier quant à l'information adressée à un public. La presse seniors, et plus particulièrement *Pleine Vie*, pratique systématiquement et délibérément un décalage entre image et texte portant sur l'âge. L'image met en scène systématiquement des adultes en pleine activité, plus jeunes que les lecteurs. Ce récit a pour fonction de stimuler l'activité et certaines aspirations chez les lecteurs, qui en revanche trouvent dans le texte leurs préoccupations bien spécifiques (taille des vêtements, confort des lieux d'hébergement, conseils de santé, etc.).

L'image guide

Le magazine propose plus que toute autre forme de presse une lecture à la carte, à pluralité d'entrées et multiplicité d'itinéraires ou cheminements. Cette liberté et cette activité du lecteur ne sont possibles, et agréables, que parce que celui-ci trouve des guides, des signalisations, des repères qui sont précisément autant d'images mises sur son chemin. Un conseiller artistique parle d'une fonction de « télécommande » assurée par les images. Il peut s'agir de petits symboles, de vignettes photographiques qui identifient l'auteur (interlocuteur du lecteur), les protagonistes d'un débat ou d'une action décrite dans un article. Les photos ou les portraits peuvent exprimer les attitudes ou humeurs successives d'une personne interviewée. Des symboles visuels permettent de qualifier et d'identifier la nature du propos tenu : données brutes, conseils pratiques, compléments de lecture, opinions, conseils, les avis de lecteurs, etc. L'image doit jouer sur un code visuel qui nous est familier, et donc connu, afin qu'il n'y ait ni besoin de modes d'emploi, d'index ou d'autres outils, contraignants et rébarbatifs.

Le traitement de la photographie elle-même, les jeux de lumières, les couleurs, la précision des formes ou le jeu sur le flou créent des ambiances qui vont caractériser une page, une rubrique ou tout un magazine. Ces ambiances guident l'acheteur au moment de son choix dans le kiosque. Elles facilitent le repérage lors du feuilletage. Elles permettent que s'opèrent instantanément les rencontres entre l'humeur du lecteur et le type de contenu rédactionnel, sans effort apparent, sans mobilisation d'une compétence particulière. Par la maîtrise éprouvée de cette fonction d'image-guide, le magazine propose une interactivité réelle qui, contrairement à celle qu'offrent les médias électroniques, ne demande ni effort, ni technicité, car elle est essentiellement mue par la séduction et le plaisir.

L'image plaisir

Même si des différences sensibles interviennent selon les familles de magazines, il n'empêche que, dans un contexte de concurrence exacerbée, intervient fortement une notion de séduction-plaisir qui va déclencher l'acte d'achat et induire son renouvellement. Le lecteur de magazine trouve en celui-ci un cocktail de sensations dans lequel se mêlent le plaisir du toucher d'un papier de qualité, l'émotion face à des photos ou des graphismes très travaillés, une invitation au jeu, à l'évasion, au rêve, etc. Tout dans la conception du magazine doit concourir à produire cette ambiance au contact de l'objet et dans son usage, quel que soit le registre de lecture : le format, la qualité du papier, la maquette, le type d'illustrations. Les images, et tout particulièrement les photos, y jouent un rôle essentiel. Si le texte doit d'abord convaincre, l'image se voit chargée de séduire et mobiliser les émotions. Que seraient des publications comme *Géo*, les grands féminins ou la presse jeunes, sans l'extrême qualité et la maîtrise de leurs images ?

Le traitement des couvertures exprime particulièrement cette place de l'image dans le contact initial du magazine avec son éventuel acheteur ou son futur lecteur. Le défi est d'autant plus grand pour chaque directeur artistique, à chaque numéro, qu'il faut séduire et convaincre, parfois en quelques secondes, au sein d'un environnement de couvertures et de titres tout aussi colorés, chatoyants, travaillés. Même les news ne semblent pas pouvoir s'en remettre à la seule force du titre de leur dossier ou d'une enquête annoncée, puisqu'ils font faire de plus en plus souvent une photo spécifiquement pour leur couverture, en ayant recours à des modèles. Et lorsque la photo reprend une situation de l'actualité ou l'image d'une personnalité, elle est très largement retravaillée. Un éditeur comme Prisma Presse, tenant de couvertures très informatives, annonçant plusieurs dossiers et enquêtes, ne s'en remet pas moins à la capacité d'attraction de la photo, y compris pour *Capital*.

L'ambiance produite par les images d'un magazine et le plaisir qu'elle est capable de susciter chez son lecteur convergent avec la démarche des publicitaires, qui conçoivent leurs propres images en fonction des caractéristiques du produit qu'ils défendent, du message qu'ils veulent faire passer, mais aussi de leur « environnement ». Si le choix d'un titre répond à des critères économiques tels que l'audience et les caractéristiques socio-économiques, démographiques du lectorat, il prend également en compte la capacité du visuel de ce titre à produire une harmonie entre son contenu et la démarche du publicitaire. Le phénomène est si fort qu'il appelle chez certains éditeurs, notamment en presse jeunes ou en presse économique, une réflexion sur les repères qui doivent être fournis aux lecteurs pour limiter les confusions entre contenu éditorial et publicité.

Dualité de hiérarchies

La place du visuel dans les magazines conduit à la juxtaposition d'une double chaîne de production de l'information. Les photographes, graphistes, infographes, maquettistes et directeurs artistiques assurent la conception, la réalisation et la validation du récit visuel. Pourtant ces professionnels sont issus de formations telles que les beaux-arts, les arts déco, etc., qui n'abordent jamais les questions relatives à l'information. Leur expérience professionnelle s'est le plus souvent déroulée dans des domaines artistiques ou dans la publicité. Il est fréquent que l'activité pour la presse soit menée parallèlement à des prestations dans des domaines qui n'ont rien à voir avec l'information.

En principe, la responsabilité éditoriale se trouve exercée complètement par le rédacteur en chef ou le directeur de la rédaction, qui doit valider le travail des professionnels de la chaîne de l'image. Dans les faits, des relations privilégiées entre directeur artistique et directeur de publication, ou la concurrence exacerbée pour obtenir la collaboration du « meilleur » directeur artistique, voire des effets de mode peuvent conduire à une large autonomie des professionnels de l'image et à la dualité de deux hiérarchies. Il n'est pas rare que des maquettistes exercent les prérogatives de secrétaires de rédaction ou que les directeurs artistiques se comportent comme d'authentiques rédacteurs en chef.

Cette tension entre professionnels de l'image et professionnels du texte-journalistes peut être très riche et créative, amenant les uns et les autres à se dépasser, allant au-delà de ce que leur spécialité les portait à présenter. Il se produit aussi des dualités ou des déséquilibres dont les conséquences ne sont pas toujours très bien appréciées. Des décalages ou des contradictions peuvent ainsi se produire. Un article du printemps 1997 du *Nouvel Observateur* se proposait ainsi de dédramatiser la situation des établissements scolaires de banlieue. Pourtant la photographie qui était sensée soutenir ce propos le dénaturait totalement en présentant, dans une tonalité très sombre, une cour, un panneau de basket et de sinistres grillages rappelant les ghettos new-yorkais. Plus personne ne savait d'ailleurs si la photo achetée à une agence avait été prise en France ou en Amérique du Nord.

Des messages inconscients peuvent également être largement diffusés par le récit visuel. Le plus typique est celui qui prévaut dans la presse féminine et la presse jeunes, conduisant à mettre en scène des individus jeunes, beaux, blancs, plutôt nord-européens, et cela quelles que soient les caractéristiques pluriculturelles du lectorat ou la réalité qui est traitée dans les articles. Interrogés sur ce phénomène, les rédacteurs en chef renvoient aux directeurs artistiques. Ces derniers, quant à eux, se déchargent sur les agences d'images ou de modèles, qui ne proposeraient que ce type d'images. D'aucuns reconnaissent pourtant ne pas hésiter à éclaircir la peau, la chevelure, ou à bleuir les yeux des sujets des photos de couverture, pour être plus « vendeurs ».

Au passage il faut relever que si la déontologie du journaliste le porte à refuser de transformer la réalité, les méthodes de travail des professionnels du visuel les conduisent davantage à retoucher et modifier les images pour obtenir l'effet souhaité. Cet effet peut être motivé par des considérations esthétiques. Cela ne l'empêche pas d'être également chargé de présupposés plus ou moins conscients sur des images de la jeunesse, de la féminité, etc. Milan Presse, pour l'illustration des *Clés de l'Actualité* et des *Clés de l'Actualité Junior*, revendique d'exiger de ses photographes, comme de ses directeurs artistiques, des images reflétant le caractère pluriel de la population jeune et la réalité dont ces titres traitent.

Positif !

Prise dans sa globalité, l'information produite par les magazines comporte un caractère assez spécifique. Elle est positive. Bien sûr, la grande diversité de genres et de familles conduit à une échelle d'intensité. Les news et les hebdomadaires d'actualité sont très proches, dans leur traitement de l'information, des autres médias d'actualité. Il n'empêche que de nombreuses rubriques proposent une information purement positive, faite de conseils, de dialogue avec les lecteurs, d'échos divers, etc. Dans la plupart des familles de magazines, l'information se veut explication, découverte, accompagnement du lecteur, partage d'un passe-temps ou d'une passion majoritaire. S'agit-il toujours d'information ?

Information ?

Le contenu des magazines relève bien souvent de registres qui n'ont rien à voir avec l'information ou qui se situent très à la marge de celle-ci. Dans la presse jeunes, par exemple, les magazines s'adressant aux enfants proposent principalement des contenus qui relèvent de la fiction, que celle-ci soit traitée sous forme de bandes dessinées ou de textes. À ses côtés figurent des jeux ou des conseils pratiques, qui peuvent concerner les loisirs comme les révisions du baccalauréat. La presse jeunes n'est pas la seule dans ce cas, puisque traditionnellement les féminins fournissent des patrons permettant de réaliser des vêtements, des recettes de cuisine, des modes d'emploi divers, des horoscopes, sans oublier les « courriers des lectrices ».

La presse de télévision, tout comme la presse à pôles d'intérêt, publie des données brutes dont le statut d'information n'est que marginal. Doit-on considérer que les simples horaires de programmes de télévision ou de radio, les horaires, les programmes des salles de cinéma, les prix des argus de voitures et les classements divers de best-sellers ou les fiches techniques de divers objets constituent à proprement parler une information au sens journalistique ?

Expliquer

L'une des tonalités les plus largement répandues dans les magazines est celle de l'explication. Face à un monde foisonnant et complexe, le lecteur se voit proposer des dossiers, des enquêtes, des reportages, des interviews dont l'objet est d'abord de donner à comprendre. Lorsque le magazine est plutôt généraliste, il lui revient de proposer un choix de sujets qui sont autant de coups de projecteur sur des questions familières pour le lecteur, à moins qu'il ne s'agisse de l'intéresser à des domaines ou des problèmes qu'il ignorait jusque-là. Les magazines spécialisés, quant à eux, balaient systématiquement les questions de leur domaine de spécialisation.

Cette fonction « pédagogique » conduit les magazines à employer des journalistes dont les spécialités et les filières de recrutement sont très différentes de celles des médias d'information politique et générale. Les juristes, les médecins, les économistes, les psychologues, les ingénieurs, les chercheurs, les sportifs, quand il ne s'agit pas d'enseignants, cohabitent ainsi avec quelques journalistes au cursus plus classique, qui ont fait le choix de se spécialiser dans un domaine précis. Chacun de ces journalistes se situe dans une démarche dont la motivation est de comprendre et découvrir, afin de pouvoir ensuite le restituer aux lecteurs, que l'on imagine animés des mêmes motivations.

Distraire et accompagner

Bien des publications, rubriques ou articles n'ont d'autre ambition que de distraire le lecteur en lui faisant passer un moment agréable. L'image est belle, étonnante, enjouée. Le texte est élégant, surprenant, optimiste. Les thèmes retenus jouent sur les registres favoris du public ou tentent de le surprendre. Les magazines sont souvent traités avec mépris par les journalistes, qui se font une haute idée de leur rôle dans le débat d'idées et le fonctionnement de la démocratie. Toute une partie de cette forme de presse s'inscrit dans le registre du pur loisir. Elle ne se contente pas de conseiller sur les loisirs ou le quotidien : elle est loisir à part entière, auquel revient le lecteur au fil de la journée, du week-end ou de la semaine.

En fonction du sexe, de l'âge, des goûts et des passions de ceux qui choisissent « leurs » magazines, ces derniers peuvent offrir un média qui accompagne, qui donne une représentation palpable, identifiable d'une communauté d'intérêts, de goûts ou de valeurs. Information ? Rattachement au journalisme de professionnels qui doivent travailler avec autant d'attention la forme et la relation à leur public ? Ces questions ne sont pas forcément pertinentes pour une forme de presse qui, dans son ensemble, répond, à chaque moment, à chaque préoccupation, à chaque sensibilité du public, tout en s'employant à l'ouvrir sur le monde et les autres.

VI / Information et publicité

La situation singulière des magazines

Les magazines occupent une place particulière sur le marché publicitaire français. Ils devancent les autres formes de presse avec 12,6 % du marché « grands médias », alors que les quotidiens se situent autour de 11 %. Ce phénomène est unique pour les pays industrialisés. Partout ailleurs, les quotidiens occupent la première place pour la presse écrite. Il existe, en fait, deux configurations principales quant au poids des magazines sur le marché publicitaire. Un groupe de pays voit la presse magazine se situer entre 12 % et un peu plus de 15 % du marché : outre la France, il s'agit de la Belgique, des Pays-Bas, de l'Italie et de l'Allemagne. Un second groupe ne voit les magazines se situer qu'à 7 % ou 8 %, il s'agit des USA, du Japon, de la Grande-Bretagne et de la Suisse. La position particulière des magazines sur le marché publicitaire français ne signifie pas que la part de la publicité dans leur chiffre d'affaires soit exceptionnellement élevée. Elle est en effet de 32 %, alors qu'en Grande-Bretagne elle atteint 62 %.

En France donc, le marché publicitaire des magazines est extrêmement significatif car, s'il représente moins de la moitié de celui de la télévision, il est plus important que l'affichage et pèse deux fois celui de la radio. C'est dire que, même si les magazines apparaissent comme les grands concurrents des quotidiens, la bataille pour eux se situe principalement vis-à-vis de la télévision et de l'Internet en tant que nouvel entrant. Des études montrent même que si la télévision et la presse quotidienne peuvent trouver une certaine complémentarité au regard des annonceurs et des centrales d'achat, en revanche l'offre des magazines est souvent directement en compétition avec celle des télévisions.

Les recettes publicitaires de la presse magazine ont progressé très régulièrement au cours des années 1980, à raison de 10 % par an en moyenne. En revanche, à partir de la décennie 1990, la situation est beaucoup plus heurtée, puisque celle-ci devait s'ouvrir sur une cassure très brutale, de – 6 %, la saison 1992-1993 étant complètement catastrophique avec – 14 %. La reprise s'amorçait en 1993-1994 avec 6 %, puis une stabilisation légèrement au-dessus de 3 % (soit au-dessus du niveau des autres formes de presse écrite mais sensiblement au-dessous de la télévision).

Les performances des magazines sont très inégales selon les familles de titres, voire entre différents titres d'une même famille. La presse jeunes n'atteint souvent pas les 10 % de son chiffre d'affaires en recettes publicitaires. La presse seniors ne parvient que très difficilement à 20 % *(Pleine Vie)*, alors que les news se situent plutôt aux alentours de 40 %. Au sein du groupe Marie-Claire, les pourcentages se situent entre 59 % de recettes publicitaires pour *Marie-Claire* et 34 % pour *Cosmopolitan*, en passant par 48 % pour *Marie-France* et 40 % pour *Avantages*.

Recettes publicitaires des grands médias
(en %)

	1970	1996	2007
Presse écrite	71,3	47,3	40,5
Dont magazines :			12,6
Télévision	10,3	33,5	29,4
Radio	7,3	7	6,5
Internet[1]			4,2
Affichage	9,7	12,4	9,4

1. Hors liens sponsorisés.

Source : IREP (le périmètre des médias pris en compte s'étant élargi).

Reconnaissance réciproque

L'histoire des médias se confond avec celle des règles fixant la cohabitation de deux types de contenus, aux logiques totalement différentes : l'information (et les programmes en audiovisuel) et la publicité (sous toutes ses formes : placard publicitaire, petites annonces, publicité rédactionnelle, etc.). Ces règles interviennent pour protéger le journaliste de l'influence des annonceurs, surtout lorsque ceux-ci peuvent également figurer parmi ses sources. Sur ce plan les médias anglo-saxons ont plus tôt et davantage formalisé les choses. Ces règles de séparation constituent une garantie donnée au public quant à la nature exacte du contenu dont il prend connaissance : information, programmes, promotion.

Les magazines, même si, là encore, des graduations existent d'une famille à l'autre ou d'un titre à l'autre, constituent la forme de média où la proximité entre le contenu rédactionnel et la publicité est la plus grande. Alors que les journalistes et les professionnels de la publicité interviennent ailleurs dans des univers très séparés, dans la presse magazine les rédacteurs en chef rencontrent, échangent, coopèrent, au moins sous certaines formes, avec le service de publicité et bien souvent la régie. Quant aux hommes et femmes du visuel, qu'il s'agisse de directeurs artistiques, de maquettistes, de graphistes, de photographes ou d'infographes, ils travaillent dans les deux univers à un moment ou l'autre de leur parcours professionnel et parfois simultanément.

Proximité au sein des cellules-titres

La taille des équipes et la structuration en cellules-titres facilitent les échanges directs, au niveau du directeur du titre ou éditeur, du rédacteur en chef, du directeur artistique et du responsable du titre au sein de la régie. La préparation de chaque numéro fournit l'occasion d'une multiplicité de contacts et d'échanges permettant de concevoir la maquette en fonction de l'occupation de l'espace publicitaire. Dans certains cas l'espace rédactionnel s'en trouvera réduit ou au contraire devra être davantage développé.

Selon les titres et les groupes les échanges entre rédacteur en chef, direction artistique et régie peuvent être plus fréquents et s'inscrire dans une véritable démarche de coopération. C'est ainsi que des déjeuners peuvent être organisés à l'initiative de la régie, au cours desquels le rédacteur en chef rencontrera des annonceurs. Pour convaincre des annonceurs de recourir à un titre ou programmer leurs investissements sur un titre, des séminaires de créativité peuvent être organisés à l'initiative de la régie, dans lesquels le rédacteur en chef et le directeur artistique se trouveront directement au contact de responsables de publicité d'un ou de plusieurs annonceurs. Des projets de dossiers ou d'enquêtes sont discutés, sur lesquels ces annonceurs pourront décider de concentrer leurs publicités.

Certains groupes ont la volonté de favoriser et d'intensifier ces relations directes entre rédaction et publicité. Emap avait ainsi réorganisé totalement l'aménagement des locaux des titres qu'il venait de racheter aux Éditions Mondiales en plaçant systématiquement les rédactions à côté des équipes chargées du marketing et de la publicité. Aucune cloison ne séparait les uns des autres sur un vaste plateau paysager, où voisinent les différents titres d'un même genre. Aux dires des responsables de l'éditeur britannique, il s'agissait de lever une barrière physique, afin que les gens se connaissent mieux et se parlent au jour le jour.

Apports de compétence

Sur un mode moins formalisé, les professionnels du contenu des magazines peuvent être conduits à transporter leur savoir-faire, au bénéfice des annonceurs. Dans la presse jeunes il est devenu assez courant que les illustrateurs et graphistes (dont certains ont la carte de journaliste) acceptent de réaliser des pages de publicité pour des annonceurs. Il s'agit surtout de messages, à base de bandes dessinées ou de planches illustrées, qui recherchent un effet de continuité entre le contenu du magazine et la promotion elle-même. Si la contribution de collaborateurs du titre est contestable et visible, cela ne signifie pas pour autant qu'elle soit clairement maîtrisée par l'éditeur ou le rédacteur en chef.

Au début des années 1990, prenant conscience des dérives possibles, la direction de la presse jeunes de Bayard organisa une mise à plat, puis une réflexion autour de ces pratiques. Un document fut élaboré qui se proposait de cadrer les relations entre le contenu rédactionnel et la publicité. Il ne fut pas question d'interdire les contributions de collaborateurs de la rédaction à la publicité, mais de les rendre transparentes afin que les rédactions en chef et les éditeurs les connaissent et puissent vérifier qu'elles ne conduisent à aucun excès. La présence de rédacteurs en chef dans des séminaires organisés par la régie ou des annonceurs devait être connue de la direction. Les illustrateurs et graphistes qui travaillaient pour des annonceurs ne pouvaient plus être rémunérés directement par la régie, comme cela se faisait jusque-là.

Dans un registre encore plus informel, il faut s'interroger également sur le rapport aux annonceurs et aux sources qui peut découler de la participation de journalistes à la confection de publirédactionnels et publireportages. La réglementation oblige les éditeurs et les régies à faire en sorte que ces contenus soient facilement identifiables, par une mention particulière (publicité, publireportage, publi-information, etc.) ; la présentation et la typographie doivent être différentes. Il n'empêche que des journalistes peuvent rédiger des articles et des publirédactionnels sur les mêmes sujets. Le phénomène se retrouve dans l'ensemble de la presse. Il prend un tour plus aigu pour les magazines, par la place qu'y occupent les pigistes.

Nombre de pigistes n'ont pas vraiment le choix de refuser les publirédactionnels, qui sont mieux payés que les articles eux-mêmes, alors qu'ils ont du mal à vivre de leur travail de journaliste. Là encore les règles que les rédactions tentent d'appliquer visent à éviter qu'un journaliste qui écrit pour un titre soit en même temps l'auteur d'un publirédactionnel paraissant dans ses pages. Dans les faits il n'est pas toujours aisé de s'assurer de l'application de cette règle, vu que les « publi » ne sont pas signés, et qu'ils peuvent être proposés par un annonceur plusieurs mois, voire plusieurs années après leur réalisation. En l'occurrence, le plus important tient à cette fluidité entre information et publicité que ces contributions développent dans les mentalités et les représentations des journalistes.

La sensibilité à ce phénomène, plus forte pour les journalistes-rédacteurs, joue moins pour les photographes, les maquettistes ou les directeurs artistiques. Il est pourtant évident que les mêmes questions se trouvent posées, conduisant à développer une proximité et parfois des interactions plus fortes entre contenu rédactionnel et publicité.

Réunions de programmation

Ne pouvant s'appuyer sur l'actualité, les magazines apportent une très grande attention à la programmation de leur contenu, à partir de laquelle devra s'organiser la commande d'articles, de reportages photographiques, d'illustrations diverses. Les modalités précises de cette programmation diffèrent selon les entreprises, mais elles conduisent partout à des moments de rencontre entre les responsables de la rédaction, le marketing, la commercialisation et bien sûr la publicité.

Au départ, l'initiative est à la rédaction, qui expose sa perception des « tendances », des sujets de préoccupation du moment, et la manière de les traduire en dossiers, enquêtes, reportages, interviews de grands témoins ou de personnalités. Dans ces réunions la parole est très libre, chacun s'exprimant largement sur chaque point, exposant son sentiment vis-à-vis des orientations annoncées et de chacun des projets. C'est le moment idéal pour faire passer à la rédaction, à ses responsables, ses chefs de rubrique ce que pourront être les réactions des annonceurs face aux diverses suggestions d'articles et de dossiers. Dans certains cas, il s'agira d'alerter sur des crispations qui pourraient survenir de la part d'annonceurs dont la contribution est importante dans les ressources du titre. Dans d'autres cas, l'attention sera attirée sur le fait que certains angles, modes de traitement ou sujets tendent à amplifier ou susciter les investissements de certains annonceurs.

Ce premier niveau d'échange, selon la culture de chaque titre ou groupe, la situation économique et l'identité des titres, débouche sur des ajustements plus ou moins significatifs entre démarche éditoriale et approche publicitaire. D'autres démarches sont davantage orientées vers le développement de la part de marché publicitaire. Elles consistent à concevoir un contenu rédactionnel dans la perspective de séduire une catégorie d'annonceurs. Dans un langage très imagé, les professionnels les qualifient de « pièges à pub ».

Environnement publicitaire

Les magazines interviennent dans un contexte extrêmement concurrentiel sur le plan publicitaire, qu'il s'agisse de la compétition entre les titres d'une même famille ou de l'affrontement avec les télévisions. Si le magazine peut accueillir de belles images, dans des conditions de rendu souvent excellentes, il n'empêche qu'il pâtit du fait de ne pouvoir montrer l'emploi, le mouvement, notamment pour des produits tels que l'automobile, les cosmétiques, etc. René Saal, directeur général de Carat Expert (le secteur étude de la centrale d'achat), fait ainsi dire à un annonceur automobile : « Quel est le média qui peut mettre en valeur que les autos sont mobiles ? La presse et l'affichage ne montrent pas la voiture en situation. Les seuls médias qui ont l'image, le mouvement, la couleur, le son, ce sont la télévision et le cinéma ! » Le magazine se doit donc de développer d'autres atouts, parmi lesquels figurent une ambiance, une information, notamment pratique, qui valorise certains produits ou activités, et une segmentation du public qui garantit à l'annonceur qu'il va trouver dans un titre la cible à laquelle il souhaite s'adresser.

Ambiance

Chaque magazine est le véhicule d'une ambiance particulière qui va se trouver plus ou moins en cohérence avec les produits, les marques et les campagnes. Cette ambiance est un élément fort de l'identité du titre et la résultante assez complexe d'un ensemble de facteurs dans lequel interviennent les composantes du fond comme de la forme.

Du point de vue du fond, du contenu, il s'agit, bien sûr, des sujets traités, des thématiques développées, du discours visuel pratiqué, ainsi que du style bien particulier de chaque titre, qui lui permet de se distinguer de ses concurrents. Les féminins, la presse jeunes ou seniors, les magazines à pôles d'intérêt savent très bien, pour chaque titre, dégager une tonalité personnelle, bien à lui, sur laquelle s'établit généralement la relation au lecteur, qui s'y retrouve ou qui au contraire va s'y trouver étranger. Le style *Elle* ou *Marie-Claire*, *Biba* ou *Cosmo* ne saurait se confondre pour les lectrices, même si celles-ci ont des caractéristiques sociologiques, culturelles proches, voire identiques. Chaque annonceur est sensible à cette ambiance, à laquelle il souhaitera ou non associer l'image de son produit ou de sa marque.

À certains moments de leur histoire, des titres peuvent perdre la magie de l'ambiance qui a fait leur succès. Les lecteurs ne s'y trompent pas et sont tentés de se tourner vers d'autres titres. Il n'est pas rare que les professionnels du média-planning, qui orientent les plans médias des annonceurs, identifient également le phénomène tendant à moins préconiser le titre, avant même que la diffusion n'ait traduit cette perte de substance.

La forme n'est pas non plus indifférente à la production de l'ambiance d'un titre. Au-delà du récit visuel qui participe du fond, interviennent la maquette, le déroulement des rubriques au niveau du « chemin de fer », mais aussi la qualité du papier, la typographie, la photogravure. Ces dernières composantes garantissent la qualité de rendu du placard ou de la page publicitaire. Mais, plus généralement, l'aspect physique du produit, son esthétique, son agrément au toucher sont des éléments qui vont plus ou moins séduire l'annonceur lorsqu'il s'interroge quant à ses choix d'investissement.

Le média-planning et le métier de centrale d'achat mobilisent des indicateurs très techniques de caractéristiques d'audience, de comptabilisation de prises et reprises en main, etc., mais ils ne sauraient se comprendre sans cette dimension sensible et sensitive qui tient aux caractéristiques et à la qualité de l'ambiance de chaque titre. Les études permettent d'identifier les domaines où l'ambiance générée par les magazines est plus ou moins en harmonie avec les publicités des différents secteurs économiques. Baromédia 98, par exemple, réalisé à la demande du groupe Ringier, montre que la publicité est perçue comme « plaisante » ou « agréable » dans les magazines, d'abord pour les meubles, la décoration et les produits de luxe, à niveau quasiment équivalent pour la mode, puis pour les voyages et l'hôtellerie, l'informatique et la téléphonie, et enfin pour les médicaments et la pharmacie. Ils sont en revanche moins bons que les quotidiens pour la banque et la finance, et moins bons que la télévision pour l'automobile.

Une information valorisante

La thématique de chaque magazine constitue le niveau le plus élémentaire de repérage pour les annonceurs qui vont, en fonction de leurs produits, choisir un féminin, un hebdo télé ou un magazine scientifique. Certaines thématiques ne concernent que des marchés très étroits : leur public est limité, elles s'associent à peu de produits ou paraissent insuffisamment valorisantes. D'autres au contraire, tels que les économiques ou les news, ont une thématique prestigieuse, au point de les voir survalorisés au regard de leur audience.

Au-delà de la thématique générale, chaque rubrique attire des annonceurs ou des campagnes bien spécifiques. Les caractéristiques du rubricage peuvent découler d'un choix purement éditorial. Elles se révéleront plus ou moins efficaces au regard de l'intérêt qu'y portent les annonceurs. Elles constituent en tout cas un argument de vente pour les régies. Les études « Vu/Lu » peuvent en renforcer l'efficacité en montrant l'intérêt ou l'image qu'elles recueillent auprès des différents lecteurs.

Il n'est pas rare que la création de rubriques découle de la volonté de s'adresser à des annonceurs peu concernés par la thématique générale du titre. Cette pratique a ses limites, qui touchent à la cohérence de la ligne éditoriale. Il est toutefois fréquent, que dans les réunions de programmation ou à l'occasion de réformes de formules, les régies fassent de telles propositions afin d'améliorer l'efficacité d'un titre sur le plan publicitaire. Lorsque *Le Point* et *Le Nouvel Observateur* ont décidé, en 1998, d'attaquer le marché des annonces d'emploi, monopolisé par *Le Monde, Le Figaro* et *L'Express*, les deux news, pourtant concurrents, ont fait le choix de s'associer dans un même couplage. Ils créèrent l'un et l'autre une rubrique sur l'emploi et constituèrent une équipe de journalistes pour la faire vivre et assurer sa crédibilité.

La même démarche conduit des magazines à concevoir régulièrement des suppléments, des hors-série ou des éditions spécifiques. Dans chacun des cas un lectorat moins fidèle, peu attiré par le titre, peut être trouvé. Certains produits peuvent constituer de véritables « sur-mesure » pour une catégorie d'annonceurs (voiture, informatique, plein air, tourisme, etc.).

Financement direct du contenu

La recherche conjointe d'une complémentarité entre le contenu rédactionnel et la publicité peut prendre la forme d'un partenariat dans lequel une marque va financer un dossier lourd ou un reportage au coût de revient élevé. Un magazine jeunes verra un reportage en Amazonie, avec un travail photographique de qualité, financé par un groupe de BTP, dont une réalisation apparaîtra au détour des photos, alors que son rôle est évoqué dans le texte. Il en est de même pour des pétroliers, voire des ONG, dans différents types de magazines.

La distance entre ces reportages cofinancés par une entreprise et un « rédactionnel », après un voyage de presse ou un publi-reportage, dont certains sont très bien conçus, semble alors assez limitée. La problématique est pourtant différente, puisque les journalistes font un travail indépendant et que le contenu rédactionnel, au-delà de l'évocation de la marque ou de l'entreprise annonceur, viendra soutenir l'achat d'une ou plusieurs pages de publicité du même annonceur. Forme de partenariat, il pourrait constituer l'équivalent du sponsoring bien connu dans l'audiovisuel, illustrant la diversité et la souplesse de l'offre publicitaire de la presse magazine.

Création de titres

La recherche de créneaux publicitaires sous-exploités par les magazines conduit parfois à concevoir des titres destinés à séduire les annonceurs d'un domaine spécifique. Une telle démarche est sujette à débat chez les éditeurs et les publicitaires. Elle sera dénoncée parce que artificielle, conduisant à brouiller l'image de ce média dans le public. De tels concepts manqueraient de force ou d'« utilité » pour le lecteur. Axel Ganz, lorsqu'il engagea Prisma Presse sur le marché des féminins, puis des économiques, stigmatisa l'attitude d'éditeurs français qu'il jugeait insuffisamment à l'écoute de leurs lecteurs, obsédés de séduire les annonceurs.

Personne n'a le sentiment de ne créer de titre qu'en fonction de la publicité. En revanche les méthodes de lancement ont souvent donné une place considérable aux annonceurs. La réflexion stratégique du marketing était mue par l'analyse de la concurrence sur le marché publicitaire. Lors des tests de numéros zéro, les annonceurs étaient davantage interrogés que les futurs lecteurs. Un bon accueil des annonceurs valait un feu vert pour pousser le projet plus avant. Leur rejet renvoyait le projet dans les cartons...

Lors de la crise publicitaire des années 1990, nombre d'observateurs imputèrent le retrait brutal des annonceurs à une telle approche. Trop de titres étaient inutiles ou ne vivaient que grâce à la vente forcée, afin d'acheter une audience artificielle, l'économie du titre se réalisant essentiellement sur le marché publicitaire. La dépression fut perçue comme un facteur d'assainissement : des titres insuffisamment utiles pour les lecteurs devaient disparaître. Effectivement certains disparurent ou ont été repensés. La sanction ne frappa pas que les « pièges à pub ». L'existence de titres uniquement conçus pour la publicité était probablement une fiction. La crise a eu une vertu, celle de rappeler que la notion d'environnement publicitaire, pour être opérationnelle pour les annonceurs, exige des concepts éditoriaux pertinents et efficaces dans leur conquête du lectorat. L'édition de magazines est une fine alchimie où le dosage et la complémentarité entre information et publicité doivent être respectés. L'ignorer en sous-estimant l'un des termes est généralement fatal à l'éditeur.

VII / Un média international

L'internationalisation des magazines

Il n'existait, jusqu'à la loi sur la presse de 1986, aucune limitation à l'investissement d'éditeurs étrangers sur le marché des magazines, que ce soit pour y créer des titres ou pour en racheter. C'est ce qui a permis, dès l'entre-deux-guerres, à l'Américain Condé Nast de lancer une édition française de *Vogue* ou de racheter *Le Jardin des Modes*. Sur le même modèle, dans l'après-guerre, un autre éditeur américain créera l'édition française de *Sélection du Reader's Digest*, alors même que Cino Del Duca construisait un véritable groupe de presse, avec de nombreux titres populaires en direction notamment du lectorat féminin. Dans la période plus récente, la législation européenne a totalement ouvert le marché français aux groupes de la Communauté (Bertelsmann, Bauer, Pearson, Mondadori, Bonnier, VNU, etc.).

De leur côté, plusieurs groupes français, comme Hachette, Marie Claire, Bayard Presse, ont mené leur propre internationalisation, multipliant les éditions de leurs titres sur tous les continents, créant des filiales à l'étranger, rachetant même des groupes entiers en Amérique du Nord, comme Hachette avec Diamandis Communications. Phénomène presque anecdotique jusque dans les années 1970, l'internationalisation de certains groupes est devenue un volet essentiel de leur stratégie dans les années 1980 et 1990. Loin de s'arrêter, elle devrait largement se poursuivre vers l'Europe de l'Est, l'Asie (notamment la Chine), voire certains pays d'Afrique (en 1998 une édition de *Elle* a vu le jour en Afrique du Sud).

Bien que tous les groupes de presse magazine n'aient pas donné la même place à une stratégie d'internationalisation, il est frappant de noter que pour plusieurs groupes européens l'activité à l'étranger est un enjeu essentiel, alors qu'elle représente une part très significative dans leur chiffre d'affaires et leurs résultats. Pour Lagardère

Active Media qui revendique le titre de premier éditeur de magazines dans le monde, l'activité à l'étranger représente 50 % du chiffre d'affaires. Le groupe est d'ailleurs leader sur le marché espagnol et quatrième aux États-Unis pour cette forme de publications. Gruner & Jahr réalise également 50 % de son chiffre d'affaires hors d'Allemagne, Prisma Presse étant numéro deux sur le marché français des magazines grand public. Il faut dire que pour l'ensemble du groupe Bertelsmann l'activité à l'étranger représente 65 % du chiffre d'affaires. Le groupe hollandais VNU, de son côté, voit son internationalisation atteindre 45 % de son activité. Bayard, dont les premiers pas à l'étranger datent de 1977 avec la création d'une filiale à Hong Kong, poursuit l'objectif de réaliser 30 % de son activité hors de France.

Les facteurs de l'internationalisation

Segmentation des publics

Les magazines opèrent une coupe transversale dans le public en fonction de ses caractéristiques et de ses préoccupations. Ils recomposent des communautés d'intérêt, de goûts, de styles, etc., là où les médias généralistes doivent épouser les caractéristiques et les spécificités historiques, culturelles, sociales, économiques de toute une société, l'identité d'un pays. L'internationalisation des magazines se nourrit de l'évolution du rapport aux médias dans lequel, plutôt qu'à l'identification à un quotidien, une radio ou une télévision, chacun combine une série de titres dont les uns coïncident avec une communauté d'âge, une communauté de sexe, un milieu culturel, un style, une forme d'habitat, des pôles d'intérêt.

L'internationalisation des magazines, moyennant des adaptations nécessaires à chaque pays, s'appuie sur un ressort qui veut que fondamentalement le goût pour la découverte du monde, un sport, la compréhension des sciences, les soins apportés aux jeunes enfants soit suffisamment puissant et transposable aux divers coins du globe pour qu'un même concept soit compris et adopté. Chacun reconnaît le contrat de lecture qui lui est proposé et peut l'adopter sans avoir le sentiment d'adhérer à une culture, un mode de vie, des valeurs qui seraient importés d'un autre pays ou d'un autre continent. Certains éditeurs de magazines utilisent pour décrire ce phénomène la notion de « média global » : « un concept unique, différent dans son contenu pour chacune des éditions nationales », parce que adaptable à chaque contexte national (Gérald de Roquemaurel).

L'internationalisation de Bayard Presse

La montée en puissance du groupe catholique à l'étranger intervient à la fin des années 1980. En 1988 et 1989 Bayard va créer une filiale à Taïwan, qui s'appuie sur sa filiale de Hong-Kong. Il a également créé des filiales à 100 % en Espagne et en Belgique. Il a pris des participations minoritaires dans des groupes italiens ou britanniques et cédé une série de licences de ses titres à des éditeurs allemands et italiens. La seconde étape d'internationalisation, vécue comme un saut qualitatif pour un groupe de taille moyenne, intervient en janvier 1990 avec la création de Bayard Presse International (BPI). Cette filiale est une réponse au manque de capitaux suffisants pour réaliser une ouverture plus large et plus rapide sur le monde. Cinq investisseurs financiers prennent 33,3 % du capital (la Société Générale, le CIC, la Banque française du commerce extérieur, la banque Worms, Sofinindex). Outre l'apport en capital proprement dit, les partenaires de l'éditeur constituaient une garantie pour assurer une capacité d'emprunt suffisante.

En 1993, le bilan de BPI est considéré comme encourageant puisqu'un million d'exemplaires sont diffusés chaque mois par trente-cinq titres différents. Un nouveau plan de développement est alors décidé pour la période 1993-1998, au cours de laquelle 105 millions de francs sont investis par BPI. Une augmentation de capital suivie par l'ensemble des partenaires couvre le tiers de cet investissement. Il s'agit de conforter les positions dans des marchés d'ancienne implantation comme l'Espagne, le Benelux ou le Canada. C'est le moyen d'assurer l'ouverture sur l'Europe de l'Est et l'Afrique francophone. Les États-Unis ne sont pas oubliés puisque *Good Time*, une adaptation de *Notre Temps*, y a été lancé en 1995. En 1999, le groupe, qui a repris l'essentiel du capital de BPI, fixe à cette filiale l'objectif de réaliser d'ici dix ans 30 % du chiffre d'affaires global.

Supports pour des campagnes mondiales

Assez logiquement, aux communautés de sexe, d'âge, de centres d'intérêt correspondent des marques et des produits que consomment ou peuvent consommer celles-ci. C'est dire que la mondialisation de nombreux produits de grande consommation, mais aussi de produits assez spécifiques n'intéressant que des clientèles restreintes dans chaque pays permet une rencontre assez efficace avec des annonceurs qui recherchent des supports internationaux s'adressant à des cibles, des publics bien délimités. Quel support peut mieux que *Elle* ou *Marie-Claire* proposer à des industriels de la mode, des cosmétiques, de toucher un certain type de femmes aux comportements de consommation assez homogènes et cela dans plusieurs dizaines de pays de par le monde ? L'internationalisation est donc soutenue par les annonceurs, qui accompagnent les titres en leur confiant leurs campagnes. Elle optimise la rentabilité par l'apport de campagnes qu'ils n'auraient peut-être pas obtenues, face à leurs concurrents nationaux, sans l'ouverture sur les marchés européens, nord-américains ou asiatiques.

Une adaptation nécessaire

Les limites d'une simple transposition

Lorsque Bertelsmann eut l'idée de créer une édition française de *Géo* en 1979, il s'adressa d'abord à un ancien de *L'Express*. Le mandat était de reprendre la maquette, le format, les articles, les photographies du *Géo* allemand. La petite équipe parisienne choisissait les articles paraissant le mieux convenir au public français, et les traduisait dans un texte de bonne qualité. Le résultat fut honorable, puisque le nouveau titre trouva rapidement plus de 100 000 acheteurs. Au bout de quelques numéros la diffusion ne progressait plus.

Une nouvelle démarche fut engagée, visant à rechercher auprès des lecteurs les évolutions nécessaires du titre afin que celui-ci réponde mieux à leurs goûts, leur sensibilité, leurs codes… *Géo* fut, en quelque sorte, reconçu, avec une maquette légèrement différente. Une vraie rédaction fut chargée de produire ses propres articles ou d'adapter significativement les articles déjà parus en Allemagne. La relance du titre, dès 1980, fut un succès, lui permettant de dépasser les 500 000 exemplaires et de devenir ainsi le mensuel le plus lu par les cadres français. Cette expérience de *Géo* exprime bien l'impératif majeur de toute internationalisation : le concept ne doit pas seulement être pertinent, il doit être adapté dans les meilleurs termes de chaque spécificité nationale.

Spécificité du traitement rédactionnel

L'analyse des réussites montre à quel point des concepts forts doivent trouver, dès l'origine, leur application à chaque pays, les différences s'amplifiant encore par la suite, à mesure que le titre s'installe auprès de son lectorat. Spécialiste de l'internationalisation des médias, Michael Schroeder devait montrer, par une étude sur plusieurs années de *Auto Bild* et de sa version française *Auto Plus*, comment cette adaptation s'opérait : le concept éditorial (la « philosophie », selon les termes de l'auteur) comme le concept visuel (maquette, typographie, chemin de fer, etc.) étaient très proches. En revanche le traitement rédactionnel, tant informatif que formel, était très spécifique. Le titre allemand exprimait une volonté de neutralité, de distanciation, avec une présentation à forte densité d'informations, là où l'édition parisienne manifeste plus d'implication ainsi qu'une valorisation d'informations auxquelles les Français sont plus sensibles.

Le choix des titres, pour les mêmes modèles de voiture, illustre bien cette différenciation. *Auto Bild* constate : « La Bugatti la plus basse et la plus puissante », alors que *Auto Plus* s'exclame : « L'incroyable retour de Bugatti ! » *Auto Bild* annonce : « 4 litres pour la Jaguar la plus récente », là où *Auto Plus* se réjouit : « Une Lady en pleine forme ». Ou encore, *Auto Bild* parle de « La voiture idéale pour le trafic en ville », là où *Auto Plus* s'émerveille : « Elle se gare toute seule ! » Les fiches techniques manifestent également le contraste dans le mode de valorisation des informations, puisque *Auto Plus* a introduit des traitements visuels et des repères qui permettent d'insister sur quelques éléments clés, là où la fiche allemande est uniforme.

Degrés d'autonomie

Chaque groupe a sa propre méthode pour assurer la cohérence d'un titre ou d'un concept tout en offrant suffisamment de liberté aux équipes locales qui vont devoir coller aux goûts, aux habitudes du lectorat. Lagardère Active Media, comme beaucoup d'autres, impose un cahier des charges précis quant à l'esprit et à la présentation visuelle de titres comme *Elle* ou *Première*. En revanche une grande autonomie est laissée dans le recours à des articles et photographies publiés dans l'édition française ou d'autres éditions phares, telles que l'édition américaine de ces titres. Le *Marie-Claire* d'octobre 1998 faisait 360 pages, alors que l'édition italienne faisait tout juste 700 pages. D'autres groupes sont davantage directifs sur la reprise d'articles dans l'ensemble des éditions. L'internationalisation de Grüner & Jahr sous la direction d'Axel Ganz est encore plus souple, puisque l'adaptation des concepts est plus grande, ce qui ne conduit même pas, dans la plupart des cas, à faire référence à un cahier des charges. Le *Capital* allemand et le *Capital* français ont peu de points communs.

Plusieurs démarches possibles

La vente d'un titre à l'étranger, fût-ce sous la forme d'une édition internationale, directement à partir de sa rédaction centrale, ne constitue qu'un phénomène marginal, à la portée de quelques magazines d'actualité nord-américains tels que *Time* ou *Newsweek*.

La clé d'une véritable internationalisation passant par une adaptation significative, plusieurs approches sont possibles. Chaque groupe peut être porté à en privilégier une, à la manière de Grüner & Jahr qui procède par création de filiales dans chaque pays, celles-ci ayant été longtemps sous la responsabilité du même homme, Axel Ganz. D'autres au contraire panachent les différentes formules en fonction de leurs moyens, de l'importance donnée à un marché national, de l'opportunité de réaliser des partenariats locaux avec d'autres éditeurs. C'est ainsi que Hachette privilégia dans le passé les partenariats avec le groupe de Rupert Murdoch, News International, au Royaume-Uni et aux États-Unis, ainsi qu'avec Rizzoli pour l'Italie. Dans ce dernier cas un échange de capital eut même lieu un temps entre les deux groupes.

Création d'une filiale locale

La création d'une filiale propre constitue l'option la plus lourde quant aux moyens à mobiliser, sur les plans financier et humain. Elle implique l'installation sur place de cadres de haut niveau issus du groupe. Ceux-ci doivent recruter des équipes de qualité pour le rédactionnel, le traitement visuel, la fabrication et la commercialisation. C'est dire que cette démarche requiert une préparation poussée visant à connaître les paramètres du marché comme les ressources existantes, en matière de professionnels comme de partenaires. Il ne suffit pas de trouver des collaborateurs, la réussite des lancements à venir repose sur la capacité à faire venir dans la jeune filiale les « meilleurs », les plus créatifs, les plus professionnels du pays concerné. Il faut souvent aller les chercher chez les concurrents. Il peut être nécessaire de les former, lorsque le marché magazines est embryonnaire.

La création d'une filiale propre s'inscrit dans une stratégie qui privilégie un marché national très porteur. Elle se constitue généralement sur la création d'une édition nationale d'un titre du groupe (*Géo*, par exemple, lors de la création de Prisma Presse). À partir des résultats obtenus elle s'élargit ensuite à d'autres titres. Quelques-unes de ces filiales, à partir d'un certain niveau de développement, peuvent créer sur le marché des titres originaux, qui pourront être à leur tour lancés dans d'autres pays, voire dans le pays d'origine du groupe. En 1997 Hachette Filipacchi Espagne créait simultanément deux titres : *Qué ma dices ?* et *Casa Diez*.

Les structures et les méthodes des filiales propres varient d'un groupe à l'autre et d'un titre à l'autre. Prisma Presse s'est développé en valorisant un savoir-faire sur des marchés bien maîtrisés par la maison mère Grüner & Jahr (les féminins, les loisirs, l'économie). Ce n'est que dans un second temps que seront pratiqués des rachats comme celui de *VSD*. Le groupe est numéro deux sur le marché des magazines grand public. Hachette Filipacchi Espagne publie en 1999 dix-sept titres, qui en font le numéro un sur le marché de ce pays. Engagée avec le lancement d'éditions de *Elle, Elle Déco, Première*, etc., l'activité de la filiale s'est étendue à des rachats comme celui de *Diez Minutos* en 1990, ainsi qu'à des créations de titres. Hachette Filipacchi Espagne a également lancé une édition de *Car and Driver*, titre du groupe nord-américain Diamandis Communications racheté par Hachette Filipacchi en 1988.

Le rachat d'éditeurs « locaux »

La volonté d'engager une internationalisation rapide ou de franchir un seuil sur un marché considéré comme stratégique peut conduire à créer une filiale nationale par le rachat d'un ou plusieurs éditeurs « locaux ». Cette démarche demande des moyens financiers importants, immédiatement mobilisables. En 1999 Hachette Filipacchi Médias doit ainsi engager près de 1,2 milliard de francs (183 millions d'euro) pour racheter 90 % du capital du groupe italien Rusconi. En revanche l'acquéreur bénéficie des équipes, du savoir-faire, des titres et de la connaissance du marché de l'entreprise dont il prend le contrôle. Les reprises peuvent intervenir dans le cadre d'une situation dégradée pour un éditeur. C'est le contexte de la reprise des dix magazines du groupe Hersant (*L'Auto Journal*, *30 millions d'amis*, etc.) en 1994 par le groupe Emap. Il peut s'agir également d'opportunités correspondant au souhait d'un propriétaire de réaliser son actif, comme dans le cas de Peter Diamandis lorsqu'il cède tous ses magazines, en 1988, au groupe Hachette Filipacchi.

Les exemples d'Emap en France et de Hachette aux États-Unis, au Japon ou en Italie montrent que de tels rachats peuvent être un moyen de recentrer une internationalisation qui s'est menée jusque-là par le biais de partenariats (*Le Chasseur français* avec Bayard Presse pour Emap ; *Elle, Première*, etc. avec News International pour Hachette). Ils constituent ensuite un point d'appui pour amplifier la pénétration d'un marché pour des titres du groupe. Enfin l'acheteur trouve chez l'éditeur qu'il reprend des titres qui sont eux-mêmes internationalisables, comme *Car and Driver*, et peut-être demain *Woman's Day*, tous deux issus de Diamandis Communications.

Les joint ventures

Réaliser un premier essai d'internationalisation, faire une première expérience sur un marché national non encore abordé sont des opérations risquées pour de grands groupes, à plus forte raison pour des groupes moyens ou qui n'ont pas d'expérience de travail hors de leurs frontières. Une formule s'offre à eux : la *joint venture*. Il s'agit d'un partenariat avec un éditeur du pays convoité, sous la forme d'une société commune. La *joint venture* est une solution adaptée à une stratégie d'internationalisation rapide d'un titre.

Le partenaire apporte sa compétence éditoriale, technique, commerciale, sans parler d'une part significative de l'investissement à réaliser. Sa connaissance du lectorat du pays concerné, des annonceurs, des conditions de fabrication, etc. permet de réaliser les adaptations nécessaires à la réussite du lancement de l'édition locale. Ce travail est fait avec l'éditeur, qui apporte le concept ainsi que ses propres informations commerciales. L'accord de partenariat peut comprendre des engagements de recours à des contenus issus du groupe qui internationalise, tout comme à sa régie. Les partenaires de *joint ventures* réalisées avec Lagardère Active pour la création d'éditions de *Elle* ou de *Première* doivent ainsi travailler avec Interdéco International, qui vend l'ensemble des lecteurs de ces titres de par le monde. De la même manière des engagements peuvent être pris quant au recours à une filiale d'impression ou de routage du groupe partenaire...

Le choix du partenaire pour une *joint venture* est crucial. De ses performances et de sa compétence vont découler les chances de succès et les résultats de l'édition locale. Le groupe qui s'internationalise doit bénéficier d'une bonne information sur les principaux groupes des pays visés. Il doit faire preuve d'une solide capacité de négociation et d'adaptation aux méthodes d'entreprises, aux histoires et spécialités, très différentes. Il y avait bien peu de points communs entre des groupes comme Bayard Presse et Emap, qui vont réaliser des *joint ventures* pour intervenir sur les marchés britanniques et français. Au-delà de la recherche d'efficacité, le choix du partenaire peut être animé d'une vision stratégique plus large, avec des perspectives d'alliance à plus grande échelle. Il peut être question d'approcher et de mieux comprendre, pour intégrer des composantes, le savoir-faire, la compétence de groupes qui ont manifesté des réussites importantes.

Les licences

La licence est la formule la plus légère et la moins complexe d'internationalisation d'un titre. Son propriétaire confie l'adaptation, le lancement, puis l'exploitation de celui-ci à un éditeur « local » qui en fait la demande ou qui peut avoir été sollicité à cette fin. Hachette exploite ainsi depuis plusieurs décennies des licences de Disney, qui lui permettent de proposer au public jeune des publications autour de Mickey, Picsou ou Winnie... Au-delà de ce principe général, il existe de nombreuses modalités de licence.

Le point central de l'accord porte sur ce que sont les caractéristiques essentielles du titre, ce qui constitue son identité. Ces éléments se trouvent contenus dans un cahier des charges qui peut être plus ou moins contraignant et complet. Lorsqu'un titre a une forte notoriété, une forte identité visuelle, un ton et un style très imbriqués à cette notoriété, le cahier des charges est extrêmement complet et contraignant. Pour autant, le candidat à la reprise d'une licence peut faire valoir des arguments relatifs aux caractéristiques du lectorat potentiel, au marché, qui justifient des infléchissements du cahier des charges. Au propriétaire du titre d'apprécier si l'accord mérite d'être conclu avec ce partenaire, ou s'il y a risque d'altération de la « marque » que constitue celui-ci.

Le propriétaire du titre est rémunéré par un système de royalties. Celles-ci prennent généralement la forme d'un pourcentage sur les ventes réalisées dans le pays concerné. Ce pourcentage peut être modulé en fonction du volume des ventes.

En dehors du cahier des charges proprement dit, la licence peut comporter des obligations d'achat d'articles ou de photographies auprès du groupe propriétaire du titre. Le bénéficiaire de la licence est souvent appelé à recourir à la régie publicitaire de ce même groupe pour la vente d'un espace publicitaire cumulant l'ensemble des éditions du titre. Ces obligations permettent au propriétaire du titre de faire remonter des recettes complémentaires par le biais de la marge prélevée par sa régie, qui accède à des campagnes qui n'auraient pu être obtenues sur un seul marché national. Les recettes concernant les contenus permettent d'amortir dans de meilleures conditions des reportages, dossiers, etc. trop lourds pour une seule édition.

Marques ou marchés

Au-delà des modalités concrètes et pratiques de l'internationalisation, des approches différentes sont développées par les groupes, que l'on pourrait situer dans un éventail de déclinaisons possibles entre deux conceptions très distinctes. Lagardère et Bertelsmann illustrent chacun à leur manière ces deux conceptions, dont l'une repose sur les titres, les « marques », pour reprendre l'expression de Gérald de Roquemaurel, et l'autre sur les cibles ou marchés.

Valoriser des « marques »

Lorsque les responsables de Lagardère Active Media exposent de quoi est faite leur activité, ils mettent l'accent sur un ensemble de titres qu'ils entendent valoriser comme autant de « marques ». Au titre est associé un concept précis, avec son cahier des charges qui s'impose aux filiales, aux partenaires des *joint ventures*, comme aux exploitants de licences. La valorisation de la marque n'implique pas de pures « copies » ou de purs clones d'un même titre dans chaque pays. Pour être pertinente, elle doit être un subtil compromis entre la reprise des traits caractéristiques du titre et une liberté d'adaptation suffisante pour que celui-ci corresponde à la sensibilité de chaque lectorat national, aux conditions concrètes du marché.

La valorisation de la marque peut aller jusqu'au développement de produits dérivés, le *merchandising*. *Elle* au Japon, par exemple, ce sont des parfums, des vêtements, des bijoux, des sacs à main, etc., en phase avec le style du magazine, ainsi qu'une certaine image de la France. En Asie le *merchandising* représenterait 50 % du chiffre d'affaires réalisé par la marque *Elle*. Lagardère Active Media organise sa stratégie autour de titres forts, au premier rang desquels figure *Elle*, mais qui comprennent aussi *Première*, *Car and Driver*, *Quo*, etc. Cette stratégie de « marque » conduit d'ailleurs Hachette à internationaliser de la même manière des titres de ses filiales, comme le montre l'exemple de *Car and Driver*.

Exploitation de marchés

Prisma Presse, en tant que filiale de Bertelsmann, a construit sa stratégie sur des concepts souples qui constituent autant de modes d'exploitation de marchés spécifiques. D'un pays à l'autre, un titre pourra être repris ou totalement modifié. En fonction du public et de l'offre de magazine, la filiale de Grüner & Jahr privilégiera l'adaptation d'un titre, comme *Géo* ; optera pour la création d'un concept synthétisant plusieurs titres diffusés en Allemagne ; ou créera un magazine inédit. L'internationalisation, pour Bertelsmann, est d'abord l'application d'une méthode d'approche des marchés à différents contextes nationaux.

Les enjeux de l'internationalisation

L'idée même de l'internationalisation est associée au développement de très grands groupes de communication. Pourtant les enjeux liés à cette stratégie ne se réduisent pas à la simple recherche d'un effet de taille ou à une sorte de course à la puissance. Par l'internationalisation de leurs magazines, les éditeurs de ce type de publications poursuivent des objectifs économiques de plusieurs natures, qui rendent celle-ci quasiment incontournable, au moins pour certaines catégories de titres, notamment les mensuels à pôles d'intérêt.

Économies d'échelle

L'internationalisation d'un titre permet de réaliser des économies d'échelle. L'économie des magazines conduisant dans nombre de segments du marché à développer des gammes de titres, les investissements nécessaires au lancement de ceux-ci sont souvent lourds, qu'il s'agisse des études, des tests, de l'affinement des concepts. L'internationalisation permet ainsi d'amortir de tels investissements sur une plus grande échelle, surtout lorsqu'il s'agit de titres dont le potentiel d'acheteurs se situe au-dessous de 100 000 exemplaires sur leur marché d'origine.

Il en va de même en matière d'investissement commercial en direction des grands annonceurs intervenant à l'échelle mondiale. La régie publicitaire peut trouver des débouchés plus larges et partager les coûts pour des outils de valorisation des titres, d'analyse du lectorat. Lagardère Publicité peut ainsi d'autant plus sophistiquer ses moyens d'analyse du lectorat de *Elle* que ceux-ci pourront être repris par Interdéco International dans le cadre de la vente de l'espace publicitaire de plusieurs dizaines d'éditions pour plusieurs millions de lectrices.

Dans des secteurs très concurrentiels comme celui des photos chocs ou de photos de stars très recherchées, les groupes internationalisés font des offres très attractives qui leur permettent de bénéficier de la primeur de celles-ci. Les prix parfois extrêmement élevés d'acquisition — plusieurs centaines de milliers d'euros dans certains

L'entrée d'Axel Ganz sur le marché des féminins français

Lorsque Axel Ganz s'intéresse au marché des féminins français, il s'interroge d'abord sur le déclin des titres populaires et l'explication qu'en donnent leurs éditeurs : la concurrence des émissions de télévision de l'après-midi, qui s'adressent aux femmes à la maison. Il entreprend une analyse du lectorat de ces titres qu'il croise avec les données sur la population française, et notamment le pourcentage élevé des femmes actives. Il compare ces données avec celles de l'Allemagne, ainsi que les chiffres et le comportement des femmes allemandes lectrices des titres de Grüner & Jahr. Il met face à face les contenus des féminins français et ceux de leurs homologues allemands. Il en découle un diagnostic de faisabilité, et une idée de ce que devraient être des magazines capables de séduire les Françaises actives.

Femme Actuelle et *Prima* s'inspireront de rubriques et de la philosophie de féminins de Grüner & Jahr. Il s'agira pourtant de véritables créations. La même approche prévaudra pour *Télé Loisirs* et surtout pour les magazines économiques. La reprise du titre *Capital* n'implique pas la reprise du concept allemand. C'est le constat d'une attente insatisfaite d'information indépendante, non suspecte de connivence avec les acteurs économiques, qui convainc Axel Ganz qu'il y a de la place aux côtés de *l'Expansion* ou du *Nouvel Économiste*.

cas — peuvent être amortis sur davantage de titres et un large lectorat. Il en est de même pour l'obtention de l'exclusivité de certains reportages (notamment photo) de très belle qualité, aux coûts de revient élevés. Dans le cas de *Elle*, par exemple, où l'apport des contenus par le groupe varie de 20 % à 50 %, une édition s'adressant à un petit marché national comme la Norvège reçoit 50 % de ses pages de la maison mère ou d'autres éditions (suédoise principalement, dans ce cas précis).

Nouvelles marges

Des groupes leaders sur leurs marchés, tels que Lagardère ou Bertelsmann, peuvent atteindre un tel poids sur celui-ci que le développement y devient plus difficile, soit pour des raisons d'image — Hachette se vit qualifier de « pieuvre verte » dans les années 1970 —, soit pour des raisons juridiques. Bertelsmann a vu plusieurs de ses projets bloqués par l'Office des cartels. Il s'agissait d'audiovisuel, mais une instruction fut également menée à propos des services en ligne. L'internationalisation permet de maintenir un niveau élevé de progression, sans lequel le dynamisme d'un groupe ne peut être préservé.

L'approche planétaire permet d'aborder des marchés vierges, aux niveaux de progression et aux marges bénéficiaires plus élevés. Durant les années 1990 et 2000, les marchés asiatiques furent ces nouvelles frontières. Là où les marchés nationaux ne peuvent offrir que des marges de 5 %, des pays tels que la Corée du Sud, Singapour, ou même la Chine permettent de franchir la barre des 15 %, voire des 20 %.

Dans les partenariats qui se constituent, au travers des *joint ventures*, les groupes apprennent des méthodes de travail différentes, et peuvent étudier des concepts importables sur divers marchés où ils sont déjà présents. Enfin, dans l'étude des marchés extérieurs, les groupes peuvent découvrir des concepts importables. Bayard Presse, au travers de sa *joint venture* avec Emap pour la création d'une version britannique de *Notre Temps*, devait découvrir toute une gamme de titres sur les loisirs et la nature, développés ensuite en France avec ce même partenaire.

Dynamisation

L'internationalisation se révèle être un puissant facteur de dynamisation interne pour les groupes. La plupart des grands groupes disposent d'encadrement et de hiérarchies qui ne peuvent qu'évoluer lentement, même si la multiplication des titres offre davantage de mobilité et de fluidité que dans la presse quotidienne. L'internationalisation intervient alors comme une opportunité de rajeunissement des équipes. Les groupes qui identifient de jeunes talents parmi leurs collaborateurs en France peuvent leur proposer une promotion et une carrière beaucoup plus rapides dans leurs filiales étrangères. La moyenne d'âge de l'encadrement de Lagardère Active Media en Asie est ainsi de 32 ans.

L'internationalisation permet également de stimuler la créativité et la réactivité des groupes, dont les structures sur leurs marchés d'origine sont souvent lourdes et plutôt conservatrices. À l'étranger, chaque filiale constitue une entité de petite taille, dans laquelle l'esprit entrepreneurial et l'initiative personnelle peuvent davantage s'exprimer. « Axel Ganz a été durant des années dans les conditions objectives du petit éditeur indépendant », remarquait son concurrent d'alors Gérald de Roquemaurel (ex-P-DG d'Hachette Filipacchi Médias).

À l'échelle d'un marché national, l'entrée de groupes étrangers au travers de leur internationalisation peut redynamiser l'approche de l'ensemble des éditeurs d'une famille de titres. C'est tout du moins ce que suggère l'expérience répétée des lancements de féminins puis de magazines économiques par Prisma Presse. Dans les deux cas, les intervenants sur ces marchés faisaient un diagnostic de stagnation, voire de recul dans le cas des féminins populaires. Tous s'accordaient sur un ensemble de facteurs explicatifs qui ne les prédisposaient pas à réinvestir, ni à innover sur ces marchés. L'arrivée d'un œil neuf, allié à des méthodes de travail différentes, devait bouleverser ce paysage, puisqu'elle était couronnée par le succès de plusieurs lancements. Dès lors chacun revoyait l'analyse du marché et réinterrogeait ses propres contenus, ses méthodes de commercialisation, ses prix..., créant des conditions nouvelles de valorisation du marché. Il n'est pas exagéré de voir dans cette ouverture du marché français des magazines l'un des facteurs de vitalité de celui-ci.

Conclusion

L'apparition des magazines modernes dans les années 1930 comportait les germes d'une véritable rupture, d'abord éditoriale, dans l'univers des quotidiens et d'une presse périodique donnant une large place à l'actualité, même si déjà existait, par ailleurs, une tradition de publications spécialisées en direction de la jeunesse, des femmes ou centrées sur l'innovation et les techniques. Les années 1960 et 1970 allaient permettre l'affirmation d'un domaine de presse spécifique, avec un large éventail de titres et de familles de titres. En léger décalage s'opérait une émancipation économique et industrielle : des groupes de plus en plus puissants se spécialisaient dans les magazines. Leurs structures s'éloignaient de celles des quotidiens. Ils abandonnaient l'impression, sous-traitaient tout ce qu'il n'est pas essentiel d'intégrer en interne, se centrant sur la conception et le développement éditorial, en même temps que la direction et l'animation commerciale tant vis-à-vis du public que des annonceurs. Au niveau planétaire comme au niveau européen, les magazines devenaient une composante des plus grands groupes de communication, associée aux différentes formes d'édition culturelle, à l'audiovisuel, au numérique ainsi qu'aux services. Désormais, en France, les magazines dominaient le marché des lecteurs, arrivant au second rang sur celui des annonceurs.

La décennie 1990 sera marquée, en France, par une nouvelle émancipation, qui concerne le cadre institutionnel et juridique, ainsi que les relations avec l'État. Durant des décennies, la presse magazine s'était développée à l'intérieur du cadre d'une presse écrite dominée par les quotidiens. Celui-ci présentait l'avantage de rester très flou quant aux obligations propre aux magazines, alors qu'il les faisait bénéficier des aides et des systèmes collectifs, pratiquant une péréquation avantageuse pour le secteur le plus petit.

Mais le costume était devenu trop étroit. Après avoir favorisé leur développement, il se révélait contre-productif. La presse magazine se pensait désormais comme un secteur économique majeur entendant s'exprimer sans entraves sur un marché mondialisé. La première manifestation de ce mouvement fut la rupture avec la Fédération nationale de la presse française (FNPF) en 1995, et la création du SPMI. Suivront l'éclatement du système d'étude de l'audience et la pression sur les NMPP dans la distribution, pour obtenir la séparation du traitement des périodiques et des quotidiens. Nombre de mensuels faisaient alors le choix des MLP (Messageries lyonnaises de presse). D'autres étapes pourraient suivre telles que la révision de la convention collective des journalistes.

Intervenant au terme d'une longue période de développement ininterrompu, la décennie 2000 marque un tournant. Les grandes diffusions des hebdomadaires de télévision, comme des féminins populaires, reculent. Les ressources publicitaires ne progressent plus, voire diminuent. Des mouvements nombreux, parfois brutaux, affectent la propriété des titres et des groupes. Pourtant, des créations, parfois très originales, moins nombreuses continuent de se produire. Là où elles étaient perçues comme un signe de vitalité et l'expression de la profusion de l'offre, elles se heurtent désormais à un sentiment de fuite en avant, qui se manifesterait par l'asphyxie des points de vente. C'est dire que les magazines n'échappent plus à la mutation d'ensemble du paysage médiatique, avec la concurrence des médias numériques. Même si les Français restent de gros lecteurs de magazines.

Ainsi, la décennie 2000 se clôt pour les magazines sur la nécessité d'opérer un choix stratégique crucial entre deux scénarios d'évolution possibles : le premier est celui du transfert de l'imprimé sur le Net. Il n'est pas le plus probable, même s'il concernera certains titres ou formes de magazines, ceux dont le contenu repose sur des données brutes, du purement factuel, du strictement utilitaire ; et encore, les magazines de télévision montrent que des évolutions de contenus sont possibles en fonction de pratiques plus fines et diversifiées dans l'usage de tels magazines. Le second scénario, le plus prometteur, consiste, lui, dans la construction d'une complémentarité entre des magazines renouvelés, recentrés sur leurs points forts, réinventés pour partie, et des sites d'information plus ou moins articulés aux titres imprimés. Dans certains cas, cette complémentarité impliquera de penser l'imprimé et les développements numériques en interrelations, en synergies et en coopération. Dans d'autres, en revanche, la complémentarité sera d'autant plus créative que chacun des médias pensera et développera son contenu éditorial de façon autonome. Ce sera là, selon le type de contenu, la spécificité des concepts éditoriaux, la maîtrise du métier par chaque entreprise et groupe. Car ici s'exprimera de nouveau avec force l'atout maître de la presse magazine, sa diversité dans la flexibilité.

Repères bibliographiques

AEPM, *L'Audience de la presse magazine 1997*, tomes 1, 2 et 3, Paris, 1998.

ALBERT Pierre, *La Presse*, « Que sais-je ? » PUF, Paris, 1996.

ALBERT Pierre, *Histoire de la presse*, « Que sais-je ? » PUF, Paris, 2003.

BALLE Francis, *Médias et société*, Montchrestien, Paris, 1996.

BELLANGER Claude *et al.*, *Histoire générale de la presse française*, tomes 3 et 4, PUF, Paris, 1972 et 1975.

BERTOLUS Jean-Jérôme, *Les Médias-Maîtres. Qui contrôle l'information ?*, Seuil, Paris, 2000.

BERTRAND Claude-Jean, *Les Médias aux États-Unis*, « Que sais-je ? » PUF, Paris, 1995.

BLEDNIAK E., *La Presse magazine féminine : enjeux et stratégies marketing*, Precepta, Paris, 1982.

BONVOISIN-SAMRA Martine et MAIGNIEN Michèle, *La Presse féminine*, « Que sais-je ? » PUF, Paris, 1996.

Cahiers français, « Information, médias et Internet », La Documentation française, Paris, mai 2007.

CAPUL Jean-Yves (dir.), *Les Médias*, Cahiers français n° 266, mai-juin 1994.

CAYROL Roland, *Les Médias*, « Thémis », PUF, Paris, 1991.

CHARBONNIER Nathalie et NAON Valérie, *La Presse magazine grand public en 1994*, Éditions de l'information d'entreprise, Paris, 1994.

CHARON Jean-Marie, *La Presse en France de 1945 à nos jours*, Points Seuil, Paris, 1991.

CHARON Jean-Marie, *La Presse des jeunes*, « Repères », La Découverte, Paris, 2002.

CLUZEL Jean, *Presse et démocratie*, LGDJ, Paris, 1997.

DAMIAN Béatrice, *Les Dames du temps présent*, thèse université Stendhal, Grenoble, 1995.

DARDIGNA Anne-Marie, *La Presse « féminine ». Fonction idéologique*, François Maspero, Paris, 1978.

DONNAT Olivier, *Les Pratiques culturelles des Français. Enquête 1997*, La Documentation française, Paris, 1998

FOURMENT Alain, *Histoire de la presse des jeunes et des journaux d'enfants (1768-1988)*, Éoles, Paris, 1987.

GUÉRIN Serge, *La Presse économique et financière*, Éditions du CFPJ, Paris, 1991.

GUILLOU Bernard, *Les stratégies multimédias des groupes de communication*, La Documentation française, Paris, 1984.

Henno Jacques, *La Presse économique et financière*, « Que sais-je ? » PUF, Paris, 1993.

Jamet Michel, *Les Défis de L'Express*, Les Éditions du Cerf, Paris, 1981.

Jamet Michel, L'Express *de Jean-Jacques Servan-Schreiber. Ruptures et continuité*, document ronéo, mai 1979.

Jeanneney Jean-Noël, *Une histoire des médias*, Seuil, Paris, 1996.

Junqua Daniel, *La Presse, le citoyen et l'argent*, « Folio-Actuel », Gallimard, Paris, 1999.

Lefébure Antoine, *Havas, les arcanes du pouvoir*, Grasset, Paris, 1992.

Le Floch Patrick et Sonnac Nathalie, *Économie de la presse*, « Repères », La Découverte, Paris, 2005.

Pigasse Jean-Paul, *Le Dossier noir de la presse française*, Éditions de Forgues, 1991.

Pinto Louis, *L'Intelligence en action :* Le Nouvel Observateur, A.-M. Métailié, Paris, 1984.

Réseaux, *La Presse magazine*, Hermès-Science, Paris, 2001.

Siritzky Serge et Roth Françoise, *Le Roman de L'Express (1953-1978)*, Atelier Marcel Jullian, Paris, 1979.

Sonnac Nathalie, *La Presse magazine en France*, thèse université Paris-1, 1996.

Soulier Vincent, *Presse féminine. La puissance frivole*, L'Archipel, Paris, 2008.

Todorov Pierre, *La Presse française à l'heure de l'Europe*, La Documentation française, Paris, 1990.

Toussaint-Desmoulins Nadine, *L'Économie des médias*, « Que sais-je ? » PUF, Paris, 1996.

Wouts Bernard, *La Presse entre les lignes*, Flammarion, Paris, 1990.

Table des matières

IV Diversité et tendances

V Mise en scène de l'information

Collection

R E P È R E S

créée par
MICHEL FREYSSENET et OLIVIER PASTRÉ (en 1983),
dirigée par
JEAN-PAUL PIRIOU (de 1987 à 2004), *puis par* PASCAL COMBEMALE,
avec STÉPHANE BEAUD, ANDRÉ CARTAPANIS, BERNARD COLASSE, FRANÇOISE DREYFUS, YANNICK L'HORTY, PHILIPPE LORINO, DOMINIQUE MERLLIÉ, MICHEL RAINELLI et YVES WINKIN.

ÉCONOMIE

Aide publique au développement (L'), n° 476, Olivier Charnoz et Jean-Michel Severino.

Allocation universelle (L'), n° 412, Philippe Van Parijs et Yannick Vanderborght.

Balance des paiements (La), n° 359, Marc Raffinot et Baptiste Venet.

Banque mondiale (La), n° 519, Jean-Pierre Cling et François Roubaud.

Bourse (La), n° 317, Daniel Goyeau et Amine Tarazi.

Budget de l'État (Le), n° 33, Maurice Baslé.

Calcul économique (Le), n° 89, Bernard Walliser.

Capitalisme financier (Le), n° 356, Laurent Batsch.

Capitalisme historique (Le), n° 29, Immanuel Wallerstein.

Chômage (Le), n° 22, Jacques Freyssinet.

Commerce international (Le), n° 65, Michel Rainelli.

Comptabilité nationale (La), n° 57, Jean-Paul Piriou.

Concurrence imparfaite (La), n° 146, Jean Gabszewicz.

Consommation des Français (La) :
1. n° 279 ;
2. n° 280, Nicolas Herpin et Daniel Verger.

Contrat de travail (Le), n° 505, CEE.

Coût du travail et emploi, n° 241, Jérôme Gautié.

Croissance, emploi et développement. *Les grandes questions économiques et sociales I*, n° 488, J.-P. Deléage, J. Gautié, B. Gazier, D. Guellec, Y. L'Horty et J.-P. Piriou.

Croissance et richesse des nations, n° 419, Pascal Petit.

Démographie (La), n° 105, Jacques Vallin.

Déséquilibres financiers internationaux (Les), n° 491, Anton Brender et Florence Pisani.

Dette des tiers mondes (La), n° 136, Marc Raffinot.

Développement soutenable (Le), n° 425, Franck-Dominique Vivien.

Développement économique de l'Asie orientale (Le), n° 172, Éric Bouteiller et Michel Fouquin.

Différenciation des produits (La), n° 470, Jean Gabszewicz.

Dilemme du prisonnier (Le), n° 451, Nicolas Eber.

Économie bancaire, n° 268, Laurence Scialom.

Économie britannique depuis 1945 (L'), n° 111, Véronique Riches.

Économie de l'Afrique (L'), n° 117, Philippe Hugon.

Économie de l'éducation, n° 409, Marc Gurgand.

Économie de l'environnement (L'), n° 252, Pierre Bontems et Gilles Rotillon.

Économie de l'euro, n° 336, Agnès Benassy-Quéré et Benoît Cœuré.

Économie de l'innovation, n° 259, Dominique Guellec.

Économie de la Chine (L'), n° 378, Françoise Lemoine.

Économie de la connaissance (L'), n° 302, Dominique Foray.

Économie de la distribution, n° 372, Marie-Laure Allain et Claire Chambolle.

Économie de la drogue, n° 213, Pierre Kopp.

Économie de la firme, n° 361, Bernard Baudry.

Économie de la propriété intellectuelle, n° 375, François Lévêque et Yann Ménière.

Économie de la qualité, n° 390, Bénédicte Coestier et Stéphan Marette.

Économie de la réglementation (L'), n° 238, François Lévêque.

Économie de la RFA (L'), n° 77, Magali Demotes-Mainard.

Économie de la Russie (L'), n° 436, François Benaroya.

Économie de l'Inde (L'), n° 443, Jean-Joseph Boillot.

Économie des changements climatiques, n° 414, Sylvie Faucheux et Haitham Joumni.

Économie des coûts de transaction, n° 407, Stéphane Saussier et Anne Yvrande-Billon.

Économie des États-Unis (L'), n° 341, Hélène Baudchon et Monique Fouet.

Économie des fusions et acquisitions, n° 362, Nathalie Coutinet et Dominique Sagot-Duvauroux.

Économie des inégalités (L'), n° 216, Thomas Piketty.

Économie des logiciels, n° 381, François Horn.

Économie des organisations (L'), n° 86, Claude Menard.

Économie des relations interentreprises (L'), n° 165, Bernard Baudry.

Économie des réseaux, n° 293, Nicolas Curien.

Économie des ressources humaines, n° 271, François Stankiewicz.

Économie des ressources naturelles, n° 406, Gilles Rotillon.

Économie du droit, n° 261, Thierry Kirat.

Économie du Japon (L'), n° 235, Évelyne Dourille-Feer.

Économie du risque pays, n° 421, Nicolas Meunier et Tania Sollogoub.

Économie du sport (L'), n° 309, Jean-François Bourg et Jean-Jacques Gouguet.

Économie et écologie, n° 158, Franck-Dominique Vivien.

Économie expérimentale (L'), n° 423, Nicolas Eber et Marc Willinger.

Économie française 2009 (L'), n° 520, OFCE.

Économie informelle dans le tiers monde, n° 155, Bruno Lautier.

Économie institutionnelle (L'), n° 472, Bernard Chavance.

Économie marxiste du capitalisme, n° 349, Gérard Duménil et Dominique Lévy.

Économie mondiale 2009 (L'), n° 521, CEPII.

Économie politique de l'entreprise, n° 392, François Eymard-Duvernay.

Économie postkeynésienne, n° 384, Marc Lavoie.

Efficience informationnelle des marchés financiers (L'), n° 461, Sandrine Lardic et Valérie Mignon.

Emploi en France (L'), n° 68, Dominique Gambier et Michel Vernières.

Enjeux de la mondialisation (Les). *Les grandes questions économiques et sociales III*, n° 490, C. Chavagneux, F. Milewski, J. Pisani-Ferry, D. Plihon, M. Rainelli et J.-P. Warnier.

Éthique économique et sociale, n° 300, Christian Arnsperger et Philippe Van Parijs.

Ethnographie économique (L'), n° 487, Caroline Dufy et Florence Weber.

France face à la mondialisation (La), n° 248, Anton Brender.

France face aux marchés financiers (La), n° 385, Anton Brender.

Grandes économies européennes (Les), n° 256, Jacques Mazier.

Histoire de l'Europe monétaire, n° 250, Jean-Pierre Patat.

Incertitude dans les théories Économiques (L'), n° 379, Nathalie Moureau et Dorothée Rivaud-Danset.

Industrie française (L'), n° 85, Michel Husson et Norbert Holcblat.

Inflation et désinflation, n° 48, Pierre Bezbakh.

Introduction aux théories économiques, n° 262, Françoise Dubœuf.

Introduction à Keynes, n° 258, Pascal Combemale.

Introduction à la macroéconomie, n° 344, Anne Épaulard et Aude Pommeret.

Introduction à la microéconomie, n° 106, Gilles Rotillon.

Introduction à l'économie de Marx, n° 114, Pierre Salama et Tran Hai Hac.

Investisseurs institutionnels (Les), n° 388, Aurélie Boubel et Fabrice Pansard.

FMI (Le), n° 133, Patrick Lenain.

Lexique de sciences économiques et sociales, n° 202, Jean-Paul Piriou et Denis Clerc.

Libéralisme de Hayek (Le), n° 310, Gilles Dostaler.

Lire l'économétrie, n° 460, Luc Behaghel.

Macroéconomie. Investissement (L'), n° 278, Patrick Villieu.

Macroéconomie. Consommation et épargne, n° 215, Patrick Villieu.

Marchés du travail en Europe (Les), n° 291, IRES.

Marchés financiers internationaux (Les), n° 396, André Cartapanis.

Mathématiques des modèles dynamiques, n° 325, Sophie Jallais.

Microéconomie des marchés du travail, n° 354, Pierre Cahuc, André Zylberberg.

Modèles productifs (Les), n° 298, Robert Boyer et Michel Freyssenet.

Mondialisation et délocalisation des entreprises, n° 413, El Mouhoub Mouhoud.

Mondialisation et l'emploi (La), n° 343, Jean-Marie Cardebat.

Monnaie et ses mécanismes (La), n° 295, Dominique Plihon.

Multinationales globales (Les), n° 187, Wladimir Andreff.

Mutations de l'emploi en France (Les), n° 432, IRES.

Notion de risque en économie (La), n° 444, Pierre-Charles Pradier.

Nouveau capitalisme (Le), n° 370, Dominique Plihon.

Nouveaux indicateurs de richesse (Les), n° 404, Jean Gadrey et Florence Jany-Catrice.

Nouvelle histoire économique de la France contemporaine :
1. L'économie préindustrielle (1750-1840), n° 125, Jean-Pierre Daviet.
2. L'industrialisation (1830-1914), n° 78, Patrick Verley.
3. L'économie libérale à l'épreuve (1914-1948), n° 232, Alain Leménorel.
4. L'économie ouverte (1948-1990), n° 79, André Gueslin.

Nouvelle économie (La), n° 303, Patrick Artus.

Nouvelle économie chinoise (La), n° 144, Françoise Lemoine.

Nouvelle microéconomie (La), n° 126, Pierre Cahuc.

Nouvelle théorie du commerce international (La), n° 211, Michel Rainelli.

Nouvelles politiques de l'emploi (Les), n° 454, Yannick L'Horty.

Nouvelles théories de la croissance (Les), n° 161, Dominique Guellec et Pierre Ralle.

Nouvelles théories du marché du travail (Les), n° 107, Anne Perrot.

Organisation mondiale du commerce (L'), n° 193, Michel Rainelli.

Paradis fiscaux (Les), n° 448, Christian Chavagneux et Ronen Palan.

Partenariats public-privé (Les), n° 441, F. Marty, S. Trosa et A. Voisin.

Politique agricole commune (La), n° 480, Jean-Christophe Bureau.

Politique de la concurrence (La), n° 339, Emmanuel Combe.

Politique monétaire (La), n° 479, Christian Bordes.

Politiques de l'emploi et du marché du travail (Les), n° 373, DARES.

Population française (La), n° 75, Jacques Vallin.

Population mondiale (La), n° 45, Jacques Vallin.

Productivité et croissance en Europe et aux États-Unis, n° 483, Gilbert Cette.

Produits financiers dérivés, n° 422, Yves Jégourel.

Protection sociale (La), n° 72, Numa Murard.

Protectionnisme (Le), n° 322, Bernard Guillochon.

Qualité de l'emploi (La), n° 456, CEE.

Quel avenir pour nos retraites ? n° 289, Gaël Dupont et Henri Sterdyniak.

Régionalisation de l'économie mondiale (La), n° 288, Jean-Marc Siroën.

Revenu minimum garanti (Le), n° 98, Chantal Euzéby.

Revenus en France (Les), n° 69, Yves Chassard et Pierre Concialdi.

Socio-économie des services, n° 369, Jean Gadrey.

Système monétaire international (Le), n° 97, Michel Lelart.

Taux de change (Les), n° 103, Dominique Plihon.

Taux d'intérêt (Les), n° 251, A. Bénassy-Quéré, L. Boone et V. Coudert.

Taxe Tobin (La), n° 337, Yves Jegourel.

Télécommunications (Les), n° 510, Pierre Musso.

Théorie de la régulation (La), n° 395, Robert Boyer.

Théories de la monnaie (Les), n° 226, Anne Lavigne et Jean-Paul Pollin.

Théories des crises économiques (Les), n° 56, Bernard Rosier et Pierre Dockès.

Théories du salaire (Les), n° 138, Bénédicte Reynaud.

Théories économiques du développement (Les), n° 108, Elsa Assidon.

Travail des enfants dans le monde (Le), n° 265, Bénédicte Manier.

Travail et emploi en Europe, n° 417, John Morley, Terry Ward et Andrew Watt.

Urbanisation du monde (L'), n° 447, Jacques Véron.

SOCIOLOGIE

Anthropologie des religions (L'), n° 496, Lionel Obadia.

Bouddhisme en Occident (Le), n° 478, Lionel Obadia.

Capital social (Le), n° 458, Sophie Ponthieux.

Catégories socioprofessionnelles (Les), n° 62, Alain Desrosières et Laurent Thévenot.

Classes sociales dans la mondialisation (Les), n° 503, Anne-Catherine Wagner.

Conditions de travail (Les), n° 301, Michel Gollac et Serge Volkoff.

Critique de l'organisation du travail, n° 270, Thomas Coutrot.

Culture matérielle (La), n° 431, Marie-Pierre Julien et Céline Rosselin.

Démocratisation de l'enseignement (La), n° 345, Pierre Merle.

Économie sociale (L'), n° 148, Claude Vienney.

Enseignement supérieur en France (L'), n° 429, Maria Vasconcellos.

Ergonomie (L'), n° 43, Françoise Darses et Maurice de Montmollin.

Étudiants (Les), n° 195, Olivier Galland et Marco Oberti.

Expérience sociologique (L'), n° 500, François Dubet.

Féminin, masculin, n° 389, Michèle Ferrand.

Formation professionnelle continue (La), n° 28, Claude Dubar.

Formes de violence (Les), n° 517, Xavier Crettiez.

Histoire de la sociologie :
1. Avant 1918, n° 109,
2. Depuis 1918, n° 110, Charles-Henry Cuin et François Gresle.

Insécurité en France (L'), n° 353, Philippe Robert.

Intérim (L'), n° 475, Dominique Glaymann.

Introduction aux *Science Studies*, n° 449, Dominique Pestre.

Jeunes (Les), n° 27, Olivier Galland.

Jeunes et l'emploi (Les), n° 365, Florence Lefresne.

Méthode en sociologie (La), n° 194, Jean-Claude Combessie.

Méthodes de l'intervention psychosociologique (Les), n° 347, Gérard Mendel et Jean-Luc Prades.

Méthodes en sociologie (Les) : l'observation, n° 234, Henri Peretz.

Métiers de l'hôpital (Les), n° 218, Christian Chevandier.

Mobilité sociale (La), n° 99, Dominique Merllié et Jean Prévot.

Modernisation des entreprises (La), n° 152, Danièle Linhart.

Multiculturalisme (Le), n° 401, Milena Doytcheva.

Mutations de la société française (Les). *Les grandes questions économiques et sociales II*, n° 489, R. Castel, L. Chauvel, D. Merllié, É. Neveu et T. Piketty.

Notion de culture dans les sciences sociales (La), n° 205, Denys Cuche.

Nouveau système français de protection sociale (Le), n° 382, Jean-Claude Barbier et Bruno Théret.

Personnes âgées (Les), n° 224, Pascal Pochet.

Pouvoir des grands (Le). *De l'influence de la taille des hommes sur leur statut social*, n° 469, Nicolas Herpin.

Santé des Français (La), n° 330, Haut comité de la santé publique.

Sciences de l'éducation (Les), n° 129, Éric Plaisance et Gérard Vergnaud.

Société du risque (La), n° 321, Patrick Peretti Watel.

Sociologie de Anthony Giddens (La), n° 497, Jean Nizet.

Sociologie de Bordeaux, n° 492, Émile Victoire.

Sociologie de Durkheim (La), n° 154, Philippe Steiner.

Sociologie de Erving Goffman (La), n° 416, Jean Nizet et Natalie Rigaux.

Sociologie de Georg Simmel (La), n° 311, Frédéric Vandenberghe.

Sociologie de l'alimentation, n° 468, F. Régnier, A. Lhuissier et S. Gojard.

Sociologie de l'architecture, n° 314, Florent Champy.

Sociologie de l'argent (La), n° 473, Damien de Blic et Jeanne Lazarus.

Sociologie de l'art, n° 328, Nathalie Heinich.

Sociologie de l'éducation, n° 169, Marlaine Cacouault et Françoise Œuvrard.

Sociologie de l'emploi, n° 132, Margaret Maruani et Emmanuèle Reynaud.

Sociologie de l'immigration, n° 364, Andrea Rea et Maryse Tripier.

Sociologie de l'organisation sportive, n° 281, William Gasparini.

Sociologie de la bourgeoisie, n° 294, Michel Pinçon et Monique Pinçon-Charlot.

Sociologie de la consommation, n° 319, Nicolas Herpin.

Sociologie de la famille, n° 494, Jean-Hugues Déchaux.

Sociologie de la lecture, n° 376, Chantal Horellou-Lafarge et Monique Segré.

Sociologie de la négociation, n° 350, Reynald Bourque et Christian Thuderoz.

Sociologie de la prison, n° 318, Philippe Combessie.

Sociologie de Marx (La), n° 173, Jean-Pierre Durand.

Sociologie de Max Weber (La), n° 452, Catherine Colliot-Thélène.

Sociologie de Norbert Elias (La), n° 233, Nathalie Heinich.

Sociologie de Paris, n° 400, Michel Pinçon et Monique Pinçon-Charlot.

Sociologie des cadres, n° 290, Paul Bouffartigue et Charles Gadea.

Sociologie des changements sociaux (La), n° 440, Alexis Trémoulinas.

Sociologie des chômeurs, n° 173, Didier Demazière.

Sociologie des classes moyennes, n° 515, Serge Bosc.

Sociologie des comportements sexuels, n° 221, Maryse Jaspard.

Sociologie des employés, n° 142, Alain Chenu.

Sociologie des entreprises, n° 210, Christian Thuderoz.

Sociologie des mouvements sociaux, n° 207, Erik Neveu.

Sociologie des organisations, n° 249, Lusin Bagla.

Sociologie des pratiques culturelles, n° 418, Philippe Coulangeon.

SCIENCES POLITIQUES-DROIT

HISTOIRE

Chronologie de la France au xxᵉ siècle, n° 286, Catherine Fhima.

État et les cultes (L'). *1789-1905-2005*, n° 434, Jacqueline Lalouette.

Franc-maçonneries (Les), n° 397, Sébastien Galceran.

Front populaire (Le), n° 342, Frédéric Monier.

Guerre froide (La), n° 351, Stanislas Jeannesson.

Harkis (Les), n° 442, Tom Charbit.

Histoire de l'Algérie coloniale, 1830-1954, n° 102, Benjamin Stora.

Histoire de l'Algérie depuis l'indépendance, 1. 1962-1988, n° 316, Benjamin Stora.

Histoire de l'immigration, n° 327, Marie-Claude Blanc-Chaléard.

Histoire de l'URSS, n° 150, Sabine Dullin.

Histoire de la guerre d'Algérie, 1954-1962, n° 115, Benjamin Stora.

Histoire de la Turquie contemporaine, n° 387, Hamit Bozarslan.

Histoire des États-Unis depuis 1945 (L'), n° 104, Jacques Portes.

Histoire des sciences biomédicales, n° 465, Jean-Paul Gaudillière.

Histoire du féminisme, n° 338, Michèle Riot-Sarcey.

Histoire du Maroc depuis l'indépendance, n° 346, Pierre Vermeren.

Histoire du parti socialiste, n° 222, Jacques Kergoat.

Histoire du radicalisme, n° 139, Gérard Baal.

Histoire du travail des femmes, n° 284, Françoise Battagliola.

Histoire en France (L'), n° 84, Collectif.

Histoire politique de la IIIᵉ République, n° 272, Gilles Candar.

Histoire politique de la IVᵉ République, n° 299, Éric Duhamel.

Introduction à la socio-histoire, n° 437, Gérard Noiriel.

Introduction à l'histoire de la France au xxᵉ siècle, n° 285, Christophe Prochasson.

Judaïsme (Le), n° 203, Régine Azria.

Mai 68, n° 512, Boris Gobille.

Méthodes quantitatives pour l'historien, n° 507, Claire Lemercier et Claire Zalc.

Pierre Mendès France, n° 157, Jean-Louis Rizzo.

Politique étrangère de la France depuis 1945 (La), n° 217, Frédéric Bozo.

Protestants en France depuis 1789 (Les), n° 273, Rémi Fabre.

Question nationale au xixᵉ siècle (La), n° 214, Patrick Cabanel.

Régime de Vichy (Le), n° 206, Marc Olivier Baruch.

Santé au travail (La), n° 438, S. Buzzi, J.-C. Devinck et P.-A. Rosental.

GESTION

Analyse financière de l'entreprise (L'), n° 153, Bernard Colasse.

Audit (L'), n° 383, Stéphanie Thiéry-Dubuisson.

Calcul des coûts dans les organisations (Le), n° 181, Pierre Mévellec.

Capital-risque (Le), n° 445, Emmanuelle Dubocage et Dorothée Rivaud-Danset.

Comptabilité anglo-saxonne (La), n° 201, Peter Walton.

Comptabilité en perspective (La), n° 119, Michel Capron.

Contrôle budgétaire (Le), n° 340, Nicolas Berland.

Contrôle de gestion (Le), n° 227, Alain Burlaud et Claude J. Simon.

Culture d'entreprise (La), n° 410, Éric Godelier.

Éthique dans les entreprises (L'), n° 263, Samuel Mercier.

Fondements de la comptabilité (Les), n° 485, Bernard Colasse.

Gestion des ressources humaines (La), n° 415, Anne Dietrich et Frédérique Pigeyre.

Gestion financière de l'entreprise (La), n° 183, Christian Pierrat.

Gestion prévisionnelle des ressources humaines (La), n° 446, Patrick Gilbert.

Gouvernance de l'entreprise (La), n° 358, Roland Perez.

Introduction à la comptabilité d'entreprise, n° 191, Michel Capron et Michèle Lacombe-Saboly.

Logistique (La), n° 474, Pascal Lièvre.

Management de la qualité (Le), n° 315, Michel Weill.

Management du projet (Le), n° 377, Gilles Garel.

Management des médias (Le), n° 504, Ghislain Deslandes.

Management international (Le), n° 237, Isabelle Huault.

Meilleures pratiques de gouvernance d'entreprise (Les), n° 509, Peter Wirtz.

Méthodologie de l'investissement dans l'entreprise, n° 123, Daniel Fixari.

Modèle japonais de gestion (Le), n° 121, Annick Bourguignon.

Normes comptables internationales (Les), n° 457, Chrystelle Richard.

Outils de la décision stratégique (Les) :
1 : Avant 1980, n° 162,
2 : Depuis 1980, n° 163,
José Allouche et Géraldine Schmidt.

Responsabilité sociale d'entreprise (La), n° 477, Michel Capron et Françoise Quairel-Lanoizelée.

Sociologie du conseil en management, n° 368, Michel Villette.

Stratégies des ressources humaines (Les), n° 137, Bernard Gazier.

Théorie de la décision (La), n° 120, Robert Kast.

Théories des organisations, n° 502, Jean-Michel Saussois.

Toyotisme (Le), n° 254, Koïchi Shimizu.

CULTURE-COMMUNICATION

Argumentation dans la communication (L'), n° 204, Philippe Breton.

Bibliothèques (Les), n° 247, Anne-Marie Bertrand.

Culture de masse en France (La) :
1. 1860-1930, n° 323, Dominique Kalifa.

Diversité culturelle et mondialisation, n° 411, Armand Mattelart.

Droit d'auteur et copyright, n° 486, Françoise Benhamou et Joëlle Farchy.

Économie de la culture (L'), n° 192, Françoise Benhamou.

Économie de la presse, n° 283, Patrick Le Floch et Nathalie Sonnac.

Histoire sociale du cinéma français, n° 305, Yann Darré.

Histoire de la société de l'information, nº 312, Armand Mattelart.

Histoire des théories de l'argumentation, nº 292, Philippe Breton et Gilles Gauthier.

Histoire des théories de la communication, nº 174, Armand et Michèle Mattelart.

Histoire de la philosophie, nº 95, Christian Ruby.

Industrie des médias (L'), nº 439, Jean Gabszewicz et Nathalie Sonnac.

Industrie du disque (L'), nº 464, Nicolas Curien et François Moreau.

Introduction à l'anthropologie de la communication, nº 508, Jean-Pierre Sélic.

Introduction aux sciences de la communication, nº 245, Daniel Bougnoux.

Introduction aux *Cultural Studies*, nº 363, Armand Mattelart et Érik Neveu.

Marché de l'art contemporain (Le), nº 450, Nathalie Moureau et Dominique Sagot-Duvauroux.

Médias en France (Les), nº 374, Jean-Marie Charon.

Mondialisation de la culture (La), nº 260, Jean-Pierre Warnier.

Musée et muséologie, nº 433, Dominique Poulot.

Presse des jeunes (La), nº 334, Jean-Marie Charon.

Presse magazine (La), nº 264, Jean-Marie Charon.

Presse quotidienne (La), nº 188, Jean-Marie Charon.

Programmes audiovisuels (Les), nº 420, Benoît Danard et Remy Le Champion.

Psychanalyse (La), nº 168, Catherine Desprats-Péquignot.

Révolution numérique et industries culturelles, nº 408, Alain Le Diberder et Philippe Chantepie.

Sociologie du journalisme, nº 313, Erik Neveu.

Télévision (La), nº 405, Régine Chaniac et Jean-Pierre Jézéquel.

Tests d'intelligence (Les), nº 229, Michel Huteau et Jacques Lautrey.

Classiques

R E P È R E S

La formation du couple. *Textes essentiels pour la sociologie de la famille*, Michel Bozon et François Héran.

Invitation à la sociologie, Peter L. Berger.

Un sociologue à l'usine. *Textes essentiels pour la sociologie du travail*, Donald Roy.

Dictionnaires

R E P È R E S

Dictionnaire de gestion, Élie Cohen.

Dictionnaire d'analyse économique, *microéconomie, macroéconomie, théorie des jeux, etc.*, Bernard Guerrien.

Guides

R E P È R E S

L'art de la thèse. *Comment préparer et rédiger un mémoire de master, une thèse de doctorat ou tout autre travail universitaire à l'ère du Net*, Michel Beaud.

Comment se fait l'histoire. *Pratiques et enjeux*, François Cadiou, Clarisse Coulomb, Anne Lemonde et Yves Santamaria.

La comparaison dans les sciences sociales. *Pratiques et méthodes*, Cécile Vigour.

Les ficelles du métier. *Comment conduire sa recherche en sciences sociales*, Howard S. Becker.

Guide de l'enquête de terrain, Stéphane Beaud et Florence Weber.

Guide des méthodes de l'archéologie, Jean-Paul Demoule, François Giligny, Anne Lehoërff et Alain Schnapp.

Guide du stage en entreprise, Michel Villette.

Manuel de journalisme. *Écrire pour le journal*, Yves Agnès.

Voir, comprendre, analyser les images, Laurent Gervereau.

Manuels

R E P È R E S

Analyse macroéconomique 1.

Analyse macroéconomique 2.

17 auteurs sous la direction de Jean-Olivier Hairault.

Comprendre le monde. *Une introduction à l'analyse des systèmes-monde*, Immanuel Wallerstein.

Déchiffrer l'économie, Denis Clerc.

L'explosion de la communication. *Introduction aux théories et aux pratiques de la communication*, Philippe Breton et Serge Proulx.

Une histoire de la comptabilité nationale, André Vanoli.

Histoire de la psychologie en France. XIXe-XXe siècles, J. Carroy, A. Ohayon et R. Plas.

Macroéconomie financière, Michel Aglietta.

La mondialisation de l'économie. *Genèse et problèmes*, Jacques Adda.

La théorie économique néoclassique. *Microéconomie, macroéconomie et théorie des jeux*, Emmanuelle Bénicourt et Bernard Guerrien.

Composition Facompo, Lisieux (Calvados)
Achevé d'imprimer en septembre 2008 sur les presses de l'imprimerie Europe Media Duplication à Lassay-les-Châteaux (Mayenne)
Dépôt légal : octobre 2008
Nº de dossier : 19923

Imprimé en France